講談社文庫

青の伝説

平岩弓枝

講談社

目次

青の伝説

第一章　象神像の謎

一

陽が落ちる頃から、スコールのような勢いで降り出した雨は、夜が更けても一向に衰える気配がなかった。

キャンディ駅前の天幕のバザールには、もはや人っ子一人、いない。

そのむこう側の、まるで巨大な倉庫のようにみえる生鮮食品の市場も、この雨では闇の中に溶け込んでしまっている。

午後十一時を過ぎていた。

駅前通りといっても、ひどく古めかしい商店が軒を並べている一角も、灯はとっくに消えて、申しわけのように、ぽつんと建っている外灯が広野の蛍火のようであった。

痩せこけた犬が一匹、雨の中を低く、うなりながら走り去った以外に、人通りは全くなかった。

車の通行も途絶えた儘であった。

まっ暗な中を、ただ滝のような雨が音を立てている。

セイロン最後の王朝のあった古都とはいっても、現代ではさびれた片田舎であった。

夜の暗さは、都会に住む人間には信じられないくらいである。

犬が又、吠えた。

商店の並ぶアーケードのあたりであった。そこも、勿論、ネオン一つない。それでも、商店街のはずれにある五階建のホテルの客室から洩れてくるかすかな光がアーケードの一部を照らしていた。

人が動いたのは、その灯影の中である。

白っぽいシャツとズボンに、靴をはいている。

これは、セイロンでは外国人か、かなりいい職業に従事している者の服装であった。

キャンディの町では、大方の男は、シャツに腰巻、はだしか、せいぜいゴム草履であった。

その男は、ホテルの方角をむいていた。

アーケードは道路の上に形ばかりの屋根が出来ていたが、この雨では殆んど役に立たない。で、男は片手に雨傘をさしていた。もう一方の手には、なにやら重そうな包を抱えている。

男は、その恰好でホテルの方から、キャンディの駅へむけて、油断のない眼を動かしていた。

だが、どう注意深く眼を見開いたとしても、このスコールでは一メートル先もみえはしないし、激しい雨音で人の気配はおろか、靴の響きも聞えるわけがなかった。

苛々と、男は体のむきを変えながら、次第に濡れそぼってくるズボンの裾へ注意した。

なにかが起ったのは、その時である。

いつの間に近づいていたのか、黒い影が男の背後を襲った。

抵抗の声も、豪雨にかき消された。時間にして、僅か数分。

地上にころがった一個の物体の上を、雨が、ただ流れた。


その部屋はホテルの四階であった。

玄関のフロントの前から古風なエレベーターで三階へ上り、それから薄暗い廊下を延々と歩いて、別の階段を一階分、登った突当りに位置していた。

セイロンの植民地時代に建てられただけあって、部屋はだだっ広かった。それなのに、照明は驚くほど暗い。

体を動かすたびに、ぎしぎしといやな音を立てるベッドから、薄く眼をあけてみると、高い天井で扇風機がゆるやかに廻っていた。

眼がさめたのは、上の階の靴の音のせいだと、浩子は気がついた。

このホテルの部屋の床は板張りで、カーペットが敷いていない。そのための靴の響きだが、古風で豪壮な建物にしては、上の階の物音が手にとるように下に聞えるというのは可笑しかった。

これでは、急ごしらえの安普請なみである。

隣のベッドをみると、夫の三好和彦はドアのほうへ体をむけて眠っていた。

昨夜、眠る前に、まるで灯がないのでは不自由なので、バスルームの中の照明をつけっぱなしにして、そのドアを細めにあけて寝たものだが、暗さに眼が馴れると、それでも部屋全体が見渡せる。

音のしないように起きて、窓に近づいた。どうやっても完全には閉らないカーテンのすきまから、濃い靄の立ちこめている闇がみえた。

雨はやんでいる。

「起きたのか」

ベッドから夫の声がした。こっちへ寝返りを打つと金属音がする。この音のせいで、昨夜はとうとうムードの出ないまま、満たされない状態で、夫の体が離れたのを思い出した。

「上の階、凄い音でしょう」

靴の音は、まだ続いていた。物をひきずるような気配もする。

「従業員が起きたんだよ」

五階はテントハウスだと、夫は、まだこの国に馴れていない妻に教えた。

「この前、客を案内して来た時も四階でね、フロントへ文句をいって、知ったんだ」

このホテルでは三階よりも四階の部屋のほうが遥かに上等に出来ている。いいお客はむかしから四階に部屋をとった。

「ごく最近まで、従業員は、はだしだったから、どんなに朝早く起きても、下の階に物音が響くことはなかったんだそうだよ」

その時分は、従業員に対する躾も行き届いていて、おそらく、ドアのあけたてにも細心の注意が払われていたに違いない。

「前の時に、あれだけ苦情をいったから、気をつけるだろうと思ったんだが、まるで、同じだな」

浩子は、ベッドへ戻って腰を下(おろ)した。

「今、何時……」

和彦はシーツから腕を出した。時計をしたまま寝るのは、旅に出た時の、彼の習慣のようである。

「五時すぎだ」

「道理で、外は暗いわ」

急に、和彦が毛布を床へ落した。大きなピロケースも、毛布の上へ並べる。

「おいで。ここなら、ベッドの音がしない」

手をひっぱられて、浩子はスリッパを脱いだ。夫は、少し照れくさそうに、浩子を毛布に横たえ、頭と背中に、ふかふかのピロケースをあてがってから、性急に体を重ねて来た。

日本で式をあげて、夫の勤務先であるスリランカへ来て、漸(ようや)く一ヵ月であった。

婚前交渉がなかったから、夫婦としておたがいの肉体が珍らしい時期なのだろうと、浩子は思っていた。少くとも、彼女のほうは、まだ手さぐりであった。夫の求めるままに素直にふるまっている。なにしろ、実際の性知識は結婚までなかったのだから、今のところ、万事、受け身なのは止むを得なかった。

夫は、そんな妻をむしろ、喜んでいる。

二度目に、浩子が目ざめたのは、ドアを叩く音であった。

これは、モーニングコールであった。

このホテルの客室には電話がなかった。モーニングコールは従業員が一部屋ずつ、ドアを叩いて、客の希望する時間に起して歩く。

午前九時であった。

窓の外は、すっかり晴れていた。

南国の太陽は、まだ新婚の妻には、眩しすぎるほど強烈であった。

朝食には揃って麻の服で出た。

日本の三月は、まだコートを着ている季節である。

ダイニングルームは、フロントの反対側にあった。その手前がロビイになっている。

ドイツ人らしい観光グループの中の一人がガイドと英語で話している。

殺人、という単語が耳に入って浩子は夫と顔を見合せた。ガイドはホテルの外を指してグループにそのニュースをやや興奮気味に説明している。

ダイニングルームへ入ると、昨夜と同じ給仕人が、同じテーブルへ案内した。

ヨーロッパ風の朝食に、南国の果物がたっぷり添えてある。よく熟したパイナップルやパパイヤの芳香が、その割に食欲をおこさせないのは、ダイニングルームの照明が暗すぎるせいである。

「人殺しがあったって……」

セイロン紅茶を運んで来た給仕人に和彦が英語で訊ねた。

スリランカは一八〇〇年代の最初から一九七二年、共和国として独立するまで、英国の植民地だったから、公用語はシンハリ語だが、大方(おおかた)が英語の訓練を受けている。

給仕人は白い歯をみせて笑った。

「昨夜、そこのアーケードのところで……」

「土地の人……」

「いえ、旅行者らしいです」

「日本人か」

「中国人のようです」

和彦は苦笑した。

「助かったよ。日本人だったら、折角(せっかく)の休みが、ぱあになるところだった」

スリランカの日本大使館に勤務している身では、ひょっとして日本人旅行者が殺害されたとなると、知らん顔は出来ない。

「物盗(と)りか」

「それは、わからない」

給仕人が去って、夫婦だけの食事がはじまった。

「こんな田舎でも、殺人事件があるのね」

コロンボで数週間、生活した感じからは、そう治安の悪い国とも思わなかった。しかし、一般国民の生活は貧しい。貧富の差も激しかった。浩子にしても、町へ買い物に出て、赤ん坊を抱えた女や、子供たちから小銭をねだられた経験はある。それでも、この国の人はおっとりして、善良なという印象が強かった。少くとも、ニューヨークやローマなどとは違うと思っていた。

「まあ、どこの国でも、人殺しがないわけじゃないさ」

殺されたのが日本人でないとわかって、三好和彦は余裕を持った。

「日本にだって、そういうニュースはあるじゃないか」

「それはそうね」

神経過敏になるまいと浩子は自制していた。

外国暮しは、まだ始まったばかりである。

二

クィーンズ・ホテルの前は人工湖であった。

湖に沿って百メートルばかり歩いたところに、仏歯寺（ぶっしじ）がある。四世紀にインドから運ばれた仏陀（ぶっだ）の歯が黄金のスチューブにおさめてあって、朝夕の礼拝時には信者が行列するほどの賑（にぎわ）いであった。

「この前に、来たのは、その御開帳の祭の時でね、さんざん行列したあげくに仏の歯をみせてもらったんだが、人間の歯にしては大きすぎて、正直のところ、気味が悪かった」

寺の入口で靴を脱ぎ、石段を上りながら、和彦が浩子に話しかけた。スリランカでは、仏の聖地へ入る場合、必ず、靴を脱がねばならなかった。寺の中にいる柿色の衣の僧侶たちは、すべて、はだしである。

信者たちは白い花を仏前に供えて礼拝していた。コロンボでも、よくみかけるテンプルフラワーで、ジャスミンやプルメリアの花片から濃厚な香りが漂ってくる。

けたたましい音がしたのは、少年達がラッパや太鼓を叩いて本堂の周囲を廻りはじめたからであった。参詣人の数はいよいよ増えて狭い前庭がごった返している。

カメラを少年音楽隊にむけている中に、浩子は夫の姿がみえないのに気がついた。

本堂のまわりを一周したが、和彦はいない。

参詣人はぞろぞろと仏塔の二階へ上って行くようであった。仏の歯をおさめたスチューブは二階にあるらしい。

ためらいながら、浩子は階段を上った。そこも人の渦である。

柱のむこうに、麻の背広がみえた。夫かと思って近づいてみると、別人であった。

青いサリーを着たインド人の女と話をしている。男が、ふと、浩子をみた。

「どうか、しましたか」

鮮やかな日本語であった。突嗟に立ちすくんだような浩子へ重ねていった。

「失礼、日本の方じゃありませんか」

「すみません」

慌てて返事をした。

「伴れとはぐれましたの。こちらに、あなたのような麻の服を着た男性が来ませんでしたでしょうか」

「麻の服……」

男が、ちょっと首をまげるようにした。どこか人なつこそうな笑顔で扉のむこうを指した。

「もしかすると、外かも知れませんよ」

仏塔の二階には外側に廻廊がついていた。信者は滅多に行かないが、展望がいいので、観光客はカメラをそこからキャンディ湖へむけることが多いという。

「ありがとうございます。行ってみます」

開けはなしてある木の扉を出た。

成程、キャンディ湖もクィーンズ・ホテルも、そのむこうの商店のアーケードまで、よく見渡せる。

カメラのシャッターをたて続けに押していると背後に声がした。

「こんなところにいたのか、随分、探したよ」

和彦は額に汗をかいていた。

「ごめんなさい、あたしも探してここへ出て来たの」

仏歯寺の背後は森であった。キャンディ湖のむこう側は山である。

キャンディの町全体が、ここから眺めると緑の山に囲まれている。標高六百メートルというだけあって、コロンボよりも風がさわやかであった。

「ぼつぼつ、ショッピングにでも行こうか」

夫にうながされて仏塔の内へ戻った。相変らず参詣人と観光客がひしめいている中に、先刻の日本人の姿は、もう、みえなかった。

クィーンズ・ホテルへ戻ってくると、フロントから柄の大きなイギリス人が待ちかねたようにとび出して来た。

昨夜、このホテルに到着した時、挨拶した支配人のウィリアムである。

和彦に対して、彼が早口でなにか話しているのを、浩子は一階の書籍売り場で絵葉書を買いながら待っていた。

「すまないが、ちょっと時間を取りそうなんだ。一人で買い物に行けるかい」

近づいて来た和彦は、如何にも面倒くさそうな表情であった。

「今朝、この近くで殺人があったといったろう。その被害者を日本人ではないかといい出した連中が、このホテルに泊っていてね。フロントにいいに行ったらしいんだよ。それで、支配人が僕に話をきいてくれないかというのでね」

ウィリアムは、三好和彦がコロンボの日本大使館員であることを知っていた。だからこそ、厄介な依頼をあえてしたものに違いないし、和彦のほうもむげに断るわけには行かなかったらしい。

「勿論、あたしはかまいませんわ」

狭い町であった。和彦ほどではないが、浩子も日常会話なら英語に自信を持っている。

「一時間ぐらいで片づくと思うから、適当に帰っておいで……」

午後にはこのホテルを出発する予定であった。

浩子がみていると、和彦はウィリアムと一緒にロビイのすみにいる日本人のところへ近づいて行った。

赤ら顔で、でっぷり肥ったその男は頭をつるつるに剃っていた。こっちで買ったらしいバテックのシャツに、木綿のズボン、首からカメラを下げている。彼の隣にも似たような風体の男が三、四人。明らかに日本からの団体客であった。スリランカには、僧侶のツアーが多い。

和彦が、彼らに近づいて挨拶するのを眼のすみに入れて、浩子はホテルの玄関を出た。

仏歯寺の方角とは逆にアーケードを歩いて行くと商店の並んでいる町の中心へ出る。

アーケードの一部にロープで囲いがしてあって、警官が二人、退屈そうに立っていた。

そこが、昨夜の殺人現場のようだが、大雨がなにもかも、見事に洗い流してしまったらしく、路上には血の痕もなかった。

勿論、死体はとっくに運び去られている。

土産物屋といっても、なにもなかった。

宝石店とサリーや腰巻にするカラフルな布地を売る店と、電気屋、菓子屋。

一軒の古めかしい民芸品を並べた店があった。

キャンディの名物といわれるペラヘラ祭の行列に参加する象をかたどった置き物が並んでいた。そのむこうには、スリランカのデモン・マスク。悪魔払いの踊りに使われる木彫りの面であった。コロンボの南にあるアンバランゴダという小さな村で作られていたものだが、近頃は土産物として、どこにでも売っている。

店の奥には象牙(ぞうげ)の仏塔があった。仏像もいくつかある。

浩子が視線をとめたのは、青銅の像であった。

いってみれば、立像の菩薩(ぼさつ)の首を象に変え、腕を四本にしたようなものであった。足許(あしもと)には、鼠(ねずみ)が一匹、ひざまずいている。

「やあ、又、会いましたね」

穏(おだ)やかに声をかけられて、浩子はそっちをみた。

暗い店の奥から、若い男が出て来たところであった。先刻、仏歯寺で出会った日本人である。

「お伴(つ)れには会えましたか」

「おかげさまで……」

改めて礼を述べた。男は、麻の上着を脱いで腕にかけていた。その手に、小型カメラがある。

年齢は、和彦よりも若くみえた。まだ、三十にはなっていない感じである。

「それは、ガネーシャですね。御存じでしょうが、ヒンズー教の神様です」

浩子のみていた象の顔をしたブロンズであった。

「ヒンズー教の神様なんですか」

スリランカの国民の七十パーセントが仏教徒といわれるが、ヒンズー教やイスラム教、キリスト教徒もけっこう多い。

このキャンディの町にも、ヒンズー教のけばけばしい寺院や、イスラムのモスク、キリスト教の教会が、さして異和感もなく並んでいる。

「別名をガナバティともいいまして、一族の支配者を意味するんです。シバ神の子で、一般的には智恵の神様といわれています。ごらんのように長鼻、象面で、一牙(いちが)、四臂(しひ)、つまり一本の牙と四本の手が特徴ですね」

若い男の口調は、先生が生徒に講義をしているようであった。

「そこに、ねずみがいるでしょう、そいつはガネーシャの乗り物なんです。ほら、文殊菩薩(もんじゅぼさつ)が青獅子(じし)に乗っていたり、普賢菩薩(ふげんぼさつ)が象に乗ったりするのと同じですよ」

「象の顔をした神様の乗り物が、ねずみなんですか」

その発想がユーモラスであった。

「ねずみって奴は、人間の食い物を食い荒しますからね。それに、群(むれ)をなして襲って来たら、象も逃げるんじゃありませんか」

のんびりした店であった。

主人らしいインド人は、壁の近くに立って日本人男女の会話を、ぼんやり眺(なが)めている。

「ヒンズー教というと、インドですのね」

「そうです。インドでガネーシャ信仰が盛んだったのは六世紀から七世紀にかけてといわれています。今でも信者は多いんですよ。それに、仏教の、特に密教にもぐり込んで、大聖歓喜自在天(だいしょうかんぎじざいてん)という奴になりまして……日本では、聖天様(しょうでんさま)といっているでしょう」

「あら、聖天様って、この神様ですか」

少々、はずんだ声が出たのは、浩子が浅草生れで、祖母が聖天様を信仰していたからである。

「おばあちゃんにみせたら、びっくりするわ」

なかば一人言であった。

毎月、おまいりを欠かさない聖天様の元祖が、インドのヒンズー教の象神だといったら、昔かたぎの祖母は、どんな顔をするだろう。

「これ、おいくらなんですか」

いつか、日本へ帰る時、土産に持って帰って、祖母を仰天させてみたい気持になった。

若い男が、ブロンズをひっくり返して、底についていた値札をみた。

「五千ルピイになっていますが、お買いになりたいなら、半分以下にまけさせますよ」

「本当ですか」

一ルピイがおよそ日本円で十円であった。

五千ルピイは五万円である。その値段でも買えないことはなかった。

スリランカの物価は日本の十分の一以下の感じである。

若い男が、シンハリ語で店の主人にかけ合った。

「二千ルピイにするそうですよ」

そのガネーシャ像は、およそ百年前のものだという。

「買います」

「重いですよ」

「車ですから……」

ざっと赤茶けた紙に包んでもらった。

「お泊りはクィーンズ・ホテルですか」

「そうです。でも、午后に発ってハバラナというところに参ります」

「僕もそっちへ行くんです。ただし、今夜はダンブラ泊りですが……」

ガネーシャの重い包は、ごく自然に、彼が持った。アーケードを歩いて、クィーンズ・ホテルへ向う。

「あなたも、クィーンズ・ホテルですか」

「いや、僕は湖のむこうのスイスというホテルでした」

クィーンズ・ホテルの前へ来た。

「それじゃ……」

包を浩子に渡し、若い男は人なつこい微笑を残して、アーケードを戻って行った。

ロビイへ入ると、夫はまだウィリアムと話していた。浩子をみて、手を上げる。

「用事は終ったよ」

チェックアウトも済んだという。スーツケースはボーイが玄関の前へ廻した車へ運び込んだ。

コロンボから乗って来たベンツで、これは、日本大使館につとめる和彦の上司が貸してくれたものであった。

「植物園の中に、レストランがあるんだ。料理はたいしたこともないが、ホテルのレストランの陰気くさいのよりも、ましだからね」

植物園から、まっすぐハバラナへ向うといった。浩子には反対する理由もない。

植物園は、キャンディの町からコロンボへ戻る恰好になった。といっても、ホテルから二十分足らずの距離であった。

「殺された人、日本人でしたの」

気になっていたことを、車が走り出してから訊ねた。

「それが、とんだ笑い話なんだ」

殺された男のポケットにはパスポートがあって、バンコク在住の中国人華僑、陳文威と判明している。

「さっき、僕が話をした坊主頭の男、あれは日本の静岡から来た坊さんのグループなんだが、あの連中、今朝早くに仏歯寺に夜明け詣りをしたらしいんだが、その時、ホテルの外で殺人が発見されたときいて、面白ずくにみに行ったそうだ」

まだ、警官も来て居らず、死体は雨上りの路上に横たわったままで、近所の人々が遠巻きにしていたので、彼らもほどほどの近くまで行って好奇心を満足させて来たのだったが、

「寺へ行ってから、一人が、あの男は昨日、宝石店で会った日本人じゃなかったかといい出したそうなんだよ」

坊さんのグループは昨日、キャンディに着いて、夕方、町へ買い物に出た。

宝石店で土産に少々の宝石を買おうとしたが、彼らは全く英語が話せず、店員との間に、ちょっとしたトラブルが生じた。その時、店に居合せた日本人が間に立って、かなりの値引交渉もしてくれたし、指輪のサイズを直させるなど、細かな面倒までみてくれた。

その日本人と、今朝の被害者が同一人物ではないかといい出して、坊さんグループは早速、その旨をホテルのフロントに申し出たというのであった。

「それだけの理由じゃ日本人ということにはならないよ、バンコクあたりに住む華僑なら日本語べらべらの人も多いし、日本語が喋れたから日本人という発想は単純すぎるんだ」

たしかに、それはその通りであった。

コロンボの日本大使館で働いているインド人は、現代の日本の若者よりも正確で丁寧な日本語を使いこなしている。

植物園の前で車を停めて、和彦はチケットを買って来た。

キャンディの郊外にある、この植物園はキャンディ川に沿って広大な土地を持っている。

近くにはキャンディ大学もあり、そのむこうは見渡す限り、田園地帯であった。

昨夜の豪雨で、キャンディ川は赤茶色の泥水がすさまじい勢いで流れていたが、植物園の中は、南国の陽が明るく、気温も二十三度前後と標示が出ている。

ゴムの木の林を抜け、さまざまのスリランカのスパイスの木を集めた一角を抜けて行くと、蘭の温室がある。

温室のむこうにはドリアンの大木が天へ高くのびている。

そこから芝生の花壇に沿って行くと、雨期のジャングルの樹木ばかりを集めたところへ出た。

一人のインド人が立って、観光客を呼びとめている。

「あいつは、蠍(さそり)をみせて金を稼(かせ)いでいるんだよ」

和彦に教えられて、浩子はおそるおそる寄ってみた。糸にくくられた大きな蠍が、弱々しくうごめいている。観光客は五ルピイを彼に渡しては、写真を撮っていた。

「スリランカに、まだ、蠍がいるの」

浩子の問いに、和彦が笑った。

「山奥へ入れば、いるだろう。ジャングルにはマラリヤ蚊(か)も出るし、象が荒れて人間を襲うことだってあるらしい」

広い芝生のスロープの上に、レストランの小さな建物がみえた。

「腹が減ったな」

漸(ようや)く、たどりついてテラスのテーブルに案内された。ミネラル・ウォーターとビールを一本ずつ注文し、浩子がメニュウをのぞいた。

「僕はカレーにするよ」

先にメニュウをボーイへ戻して、広々としたスロープに視線をやった和彦が、急に中腰になった。その気配で、浩子もメニュウから顔をはなした。

和彦の顔は、スロープのむこうを向いていた。そのあたりには、大きなバイアンの木がみえた。木かげに、何人もの男や女が思い思いに休んでいる。

「どなたか、知っている人でもいらしたの」

和彦に、浩子が訊ねた。その瞬間に、和彦がひどく狼狽した。

「いや、人ちがいだ」

椅子をはなれて、そそくさとレストランの中へ入って行く。トイレットと思い、浩子は自分の注文をすませた。

和彦が戻って来たのは、注文した料理がすっかり、テーブルの上に運ばれてからであった。

浩子は彼が椅子につく前に、さりげなく、バイアンの木の方角へ視線を向けたのに気づいていた。

木の下の人の数は、先刻よりずっと少くなっていた。

三

キャンディの町を出はずれたあたりから道はもう悪くなっていた。

申しわけ程度の舗装は、これ以上、破壊出来ないほど大穴があき、昨夜の大雨で泥水の池と化している。

山道の上に、道幅が狭かった。

片側は崖で谷川が増水し、いたるところに流木が小さな滝を作っている。もう一方は山であった。切り立った絶壁は、これまた、あっちこっちで崖くずれを起している。

「全く、この国は情報不足なんだな」

車を運転している和彦が、しきりに舌打ちしたのは、コロンボではスリランカの北部が局地的な集中豪雨と報道していても、そのために幹線道路が通行不能なほどの状態であるとは一言も伝えられてなかったせいである。

たしかに、コロンボでも、今年は雨期でもないのに雨が多かった。

しかし、毎夜のように三十ミリ以上の雨が四、五時間も連続して降っていると聞いたのは、キャンディのホテルへ入ってからのことであった。

そして、そのフロントの係員の言葉通り、昨夜も凄いスコールが襲っている。

「ハバラナまで、行けるかしら」

助手席で浩子は不安をなるべく顔に出すまいとした。

結婚して一ヵ月、漸く気がついたことだが、夫の和彦には、つまらないことでむきになるところがあった。普段は細心で注意深く、慎重すぎるほどなのに、なにかで意地を張りはじめると、前後の見境いがなくなって突進することがある。

殊に、自分が計画したり、提案したことが思い通りに行かなくなった時が危険であった。

彼にとって、失敗とか、中止とかいう言葉ほど、面子を傷つけられることはないようであった。

結婚式の披露宴で仲人が形式に従って、新郎である彼の経歴を紹介した折に、浩子は改めて彼が世間でいうところのエリートコースをまっしぐらに歩いて来たのだということを思い知らされたのであったが、進学にせよ、就職にせよ、およそ、挫折というものを経験しないラッキーな人生を歩いて来ている。

彼自身、そのことを誇りにしているし、自分の人生に有利になると思えば、少々、強引に無理な橋でも渡って行こうとする度胸もあるようであった。

男として、それはそれで決して悪いことではないのだが、たかが、バカンスのプライベート旅行でも、そうした彼の性格が判断を左右しないとは限らない。

それでなくとも、新婚の夫は、妻に対して、いいところをみせたがっていた。

「この前の時は、快適なドライブだったんだがな」

泥水を思いきり、はねとばしながら、和彦が忌々しそうに呟いた。

実際、キャンディからスリランカのほぼ中央であるハバラナに向う山越えの道は悪路でさえなければ、まことに変化に富んだドライブであった。

谷川のむこうはジャングルでオレンジ色の幹をした竹の林が続いていたり、バナナや椰子の木が無雑作に生えている。

そんな山の中にも小さな町があって、村落のあるところには、必ず郵便局があり、家具屋があり、雑貨屋があった。

人家はトタン屋根が多く、椰子の葉を葺いた掘立小屋のようなのも見受けられた。どの家も土間は文字通り土であった。家の前に板をおき、その上にバナナやグァバの実を並べて売っているのもみられる。

山道が終ったあたりに、マティルという、やや大きな町があった。

学校が終ったところらしく、白い制服を着た子供達が三々五々、帰って行く。

スリランカでは、義務教育は無料であった。

この町にはガソリンスタンドもあるし、電気器具の専門店の看板もみえた。

町全体がどことなく活気があり、道を歩いて行く人の数も多かった。

「近くに宝石の採掘場があるんだ」

ガソリンスタンドで、汚れ放題の車を洗わせながら、和彦が教えた。

「最近では、ラトナプーラよりも、いい宝石が出るらしいよ」

ラトナプーラはスリランカ南部の有名な宝石の町であった。

世界の五大宝石産出国といわれるスリランカではサファイア、キャッツアイ、ムーンストーン、ルビイなどを多く採掘する名所でもある。そのラトナプーラよりも、こんな山の中に新しい宝石の採掘の町があるというのは、浩子にとって初耳であった。

道ばたに柿色の衣の僧が立っていた。申し合せたように黒い雨傘を持っている。雨傘は時に日よけにも使われていた。

この町からは、暫く安定したドライブが続いた。

和彦の機嫌もよくなって、道ばたに生えている植物を、あれはタピオカ、こっちのはシナモンと教えてくれる。

が、それも長くは続かなかった。

ヒンズー教の寺院やイスラム教のモスクが並んでいる村をすぎるあたりから、道は再び泥濘になった。

車はいやでも徐行して進む他はない。

あいにくなことに、空が急に曇りはじめた。

スコールである。

ダンブラの町を過ぎる頃は車のフロントガラスが滝のようであった。

「ここには、有名な岩窟寺院があるんだが、岩山の上だし、この雨じゃ、どうしようもない。又の機会にしよう」

和彦にいわれて、浩子はキャンディの民芸品店で出会った青年を思い出した。

彼は今日、ダンブラへ行くといっていたが、今頃はこの町のどこかにいるのだろうか。

車はよろよろと走り続けていた。

道はまるで川であった。

道の左右は沼になっている。大木がかなり上のほうまで水につかっているところをみると、平素は道よりもかなり下の方に草原が広がっているのに違いない。

連日の集中豪雨で川も池も氾濫して、水びたしになっている。

不意に車が大きく右に傾いた。雨で路肩が柔かくなっている。和彦が必死でハンドルを廻し、辛うじて、車の向きは変えたものの、車輪は泥の中にくい込んで、いくらエンジンをふかしても、びくともしない。

雨は小やみになっていたが、陽は落ちかけている。

ハバラナまでは、あと、どのくらいあるのか。

「下りて、押してみましょうか」

それより仕方がないと思い、浩子が助手席のドアを開けた時、後方からジープが一台、走って来た。

「待て、応援を頼んでみる」

ぬかるみの中へ和彦が下りた。

ジープはすでに停って、運転していた男が左右から一人ずつ、地上に立った。

一人はインド人で、もう一人は日本人である。奇遇に、浩子は驚いた。つい、さっき、ダンプラを通過する際に、その人のことを思い出したばかりである。

「やあ、三度目の正直ですね」

男が破顔し、車の後へ廻った。

「僕らで押しますから……」

インド人の男と二人で、ぬかるみへふみ込んだ。和彦は礼をいって、運転席へ戻り、エンジンをかけたが、すぐに青い顔で窓を開けた。

「どうも、エンジントラブルを起したようです」

悪路を強引に走り続けさせられて、高級車は、つむじをまげたらしい。

インド人が和彦にかわって運転席へ入ってみたが、両手を上げ、肩をすくめて出て来た。

「専門家でないと無理だそうですよ」

彼のシンハリ語を通訳して、男は和彦に訊ねた。

「どちらへ行かれるんですか」

「ハバラナ・ヴィレッジです」

「でしたら、とりあえず、僕のジープでいらっしゃいませんか。ホテルで訊けば、修理屋もわかるでしょう」

動かなくなった車は、おいて行くより仕方がない。

「日が暮れると、この辺は野生動物が出て、危険だと、カシムがいっていますよ」

カシムというのが、インド人の名前のようであった。

「それじゃ、恐縮ですが、お願いします」

スーツケースをジープへ移し、夫婦で乗り込んだ。

流石にジープで、悪路をものともせずに走って行く。運転しているのはカシムであった。

「こんなところで恐縮ですが……」

和彦が名刺を出し、男は車のあかりでそれを読んだ。

「大使館におつとめですか」

あいにく、自分は名刺を持っていないといった。

「和気良太といいます。和気は、和気清麻呂といっても、通用しないかも知れません。平和の和に、元気の気です。名古屋のN大学で文化人類学を専攻しています」

「学生さんですか」

「いや、目下、研究室で助手として働いているんですが……」

スリランカへ来たのは、自分の研究のためだといった。

「それじゃ、シギリヤへいらっしゃるんですか」

「今夜の泊りはダンブラの予定だったんですが、ゲストハウスが改装中で、止むなくハバラナ・ヴィレッジか、さもなくば、シギリヤ・ロッジか、まあ、あてもなく走って来たところなんです」

「それは、おかげで助かりました」

たしかに、このジープが来なかったら、どうなっただろうと、浩子は思った。

悪路のせいもあろうが、通行する車も全くないような道だったのだ。

ハバラナは、人家もろくにみえないような小さな村だったが、ハバラナ・ヴィレッジは想像も出来ないほど優雅なホテルであった。

典型的なリゾート・ホテルで、ハワイやフィージーなどの高級ホテルにも劣らない建物は、まず、主屋がL字形に建てられていて、壁のない吹き抜けの造りは、如何にも南国的であった。

客室はすべて二階建のコテージで三千坪もあるという敷地の中にゆったりと建てられている。

「これは、僕らには、もったいないな」

苦笑しながらフロントで部屋の交渉をしていた和気良太だったが、結局、ここへ泊ることにしたらしい。

「今、カシムが、車の修理屋を訊いていますから……」

疲れ切ってロビイの椅子へ腰をかけている和彦と浩子のところへ伝えに来た。

日はすでに暮れていて、雨上りの庭にはプルメリアの花が白く咲いている。

ロビイのむこうが広いダイニングルームで、その前庭にはプールがあった。水面にロビイの照明が影を落して、ゆらゆらと揺れている。

ぼんやり、その光の水面を眺めていた浩子は、隣にすわっていた夫が、急に腰を浮かしたのに気がついた。

彼の顔が、吹き抜けのダイニングルームのほうへ向けられている。

そこには、白い服を着たホテルの従業員と、テーブルを囲んで二十人ばかりの団体客が席についていた。

明らかにアメリカ人と思える会話が賑(にぎ)やかに、こっちまで聞えてくる。

和彦が誰をみているのだろうと、浩子はその方角を眺めた。視線のむこうには、人が多すぎた。彼がみているのは、その中の一人に違いないのだが、浩子には見当がつかない。

「あなた……」

声をかけたとたんに、和彦が椅子に腰を下した。わざとらしく、プールのほうへ顔をそむける。

「なかなか、いいホテルだろう」

あの時と同じだと浩子は思った。

今日の昼、キャンディの植物園の中のレストランで、和彦は今と全く同じような振舞(ふるまい)を浩子にみせた。

あの折も、和彦は明らかに広い園内に誰かを発見し、そのことを妻に訊かれると、不自然なほど狼狽してごま化した。そして、今も。

カシムが走って来た。

「車の修理屋はトリンコマリーまで行かないといないそうです。ホテルから電話をかけてくれるそうですから、明日には、ここへ来るといっています」

カシムのシンハリ語を和気良太が通訳した。

トリンコマリーは、このホテルから十キロばかりのところにある港町であった。

「どうも、お手数をかけました」

そそくさと礼をいい、和彦は妻をうながして立ち上った。

白い服を着たボーイにスーツを持たせて、コテージのほうへ歩き出す。

せめて、夕食を一緒にしたらいいのにと浩子は思った。

いわば、彼のおかげで無事にこのホテルに到着したのであった。言葉だけの礼では、気がすまない。

コテージは白い壁に赤茶色の屋根の洒落た建物であった。

部屋の中は広く、すべてが白と茶で統一されている。

円柱で仕切られた王朝風のベッドルームはモダンで、昨夜のクィーンズ・ホテルとはくらべものにならない。

エアコンはよく効いているし、照明も暗すぎることはなかった。

「バスルームの仕度をしてくれないか」

不機嫌な声でいわれて、浩子はスーツケースから夫のバスローブを出し、バスルームのドアを開けた。

白いバスタブは大きく、蛇口をひねると熱い湯が勢よく出て来た。

クィーンズ・ホテルの場合は少々、湯を出すと、いつの間にか水になっていて困ったが、このホテルには、そんなこともなさそうであった。

バスルームの小窓からは、いつの間にか晴れた夜空がみえていた。半月が雲の切れ間にみえている。

バスタブを満たしてから、部屋へ戻った。

リビングルームにも、ベッドルームにも夫の姿がみえなかった。

なにか用事があって、ロビイのある主屋へ行ったのかと思う。

スーツケースの服をハンガーにかけて、下着やこまごましたものを整理箪笥にしまった。

ここに三泊してコロンボへ帰る予定であった。

するべきことをし終えても、和彦は戻って来なかった。

なんとなく、玄関のドアを開けて外へ出た。

ブーゲンビリアが外灯の中に浮んでいる。

道のむこうのコテージの二階の部屋に電気がついていた。

カーテンを開けたままのリビングが丸みえである。

坊主頭の男が一人、部屋の中央でビールを飲んでいた。

カーテンの開いているのに気がついたのか、立って来て、外をのぞいた。

あの男であった。

でっぷり肥った赤ら顔の大男。キャンディのクィーンズ・ホテルで、昨夜、殺された男は中国人ではなく、日本人に違いないと和彦に訴えていた、静岡から来た団体旅行の坊さんである。

四

ハバラナ・ヴィレッジの夜も、雨はかなり更けてから降り出したようである。

夢うつつの中で、浩子は何度も、そのスコールの音を聞いていた。肉体は疲労しているのに、神経のどこかが、ひどく鋭敏になっているらしい。

その原因は、隣のベッドにいる夫であった。

この一週間の休暇旅行に出かけてから、どことなく、夫の様子が可笑しかった。

最初の異常は、キャンディ郊外の植物園のレストランであった。テラスのテーブルについて料理の注文をしながら、広々とした庭園に視線をむけた三好和彦は、そこに誰かを発見したようであった。

にもかかわらず、浩子が、

「どなたか、いらしたの」

と訊ねたのに対し、人ちがいだ、と返事をした。

そして、二度目が昨夜、このロッジに到着してからである。

ロビイで休息している時、和彦は吹き抜けのダイニングルームの方角に、誰かをみつけた。そして、妻がそれに気がつくと、さりげなく視線をプールへ向けてごま化した。しかも、ロッジの部屋で浩子にバスルームの仕度をいいつけておいて、自分は小一時間も部屋へ戻って来なかった。

あまり、気を廻すまいと浩子は考えていた。

夫とは見合結婚であった。

昨年の秋、三好和彦が勤務先のスリランカから帰国した際に紹介されたものである。

見合の翌日から、和彦は連日、浩子にデイトを申し込んだ。スリランカから出張で戻って来て、けっこう多忙であったにもかかわらず、短かい時間をやりくりして、ひたすら、浩子に逢い続けた。

スリランカの日本大使館へ戻ったあとは、国際電話と手紙であった。

今どき、こんな熱烈な求愛の仕方があったのだろうかと浩子を途惑わせるほど、きめ細かなプロポーズ作戦が、慎重な浩子に結婚を決心させたといっていい。

実をいうと、浩子には恋愛らしい恋愛をした経験がなかった。

幼稚園から大学まで、母親の母校でもあった伝統的な女子教育の学園に籍をおいた。

要領のいい友人は、それでもけっこうボーイフレンドがあり、度胸のいい仲間は同棲生活の真似事までやっていたようだが、浩子は、ろくに男友達も作らなかった。

大きな理由は、彼女の家庭がまじめだったのと、五つちがいの兄の存在の故であった。

物心つく頃から、兄の彰一は浩子にとって、家庭教師であり、遊び友達であった。

兄と歩いていると、浩子は必ず同性の視線に気がついた。大学時代はサッカーの選手で、のっぽのスポーツマンタイプである。おまけに母親似で、すっきりした男前であった。

スポーツに熱中していた割には、成績がよかったし、女の子がぎゃあぎゃあさわいでも、堅物で通っていた。

浩子にとっては自慢の兄であったし、又、兄妹仲はすこぶるよかった。

いってみれば、浩子にはボーイフレンドを持つ必要がなかったくらいに、兄の存在が密着していた。

その兄に、恋人がいるとわかったのが、昨年の春であった。

大学を卒業して、母校の幼稚園の先生をしていた浩子が、俄かに自分の将来を考えるようになった時、三好和彦は彼女の前に登場したことになった。

浩子自身は、そんなわけで、結婚前になにもなかったが、三好和彦のほうは男だけに、白紙ということはあるまいと思えた。

有能な外交官としてエリートコースを歩いて来た三十五歳の男が、過去に少々、女の影がちらついたとしても、不思議ではないし、それをとがめだてするのは大人げないと浩子は自制した。

結婚して一ヵ月、今から神経をとがらせていては、とても一生、添いとげられないと思う。

雨がやむと同時に、朝になった。

早朝からホテルの前の道を、がやがやと大勢が通りすぎて行く。

「うるさいな。いったい、何時だと思っているんだ」

不機嫌そうにベッドをはなれた和彦はシャワーを使ってねむけをふきとばしたようであった。

「どうも、昨夜は車が気になってねむれなかった」

身仕度をすませた浩子と一緒にロッジの部屋を出て、広い庭をダイニングルームのあるメインロッジへ歩きながら、和彦が呟いた。

昨日の夕方、キャンディからハバラナへ行く途中、泥濘の道でエンジントラブルを起した乗用車を止むなく、道端におき去りにして来たことである。

その乗用車は、コロンボの日本大使館につとめている和彦の上司の、高木保雄の所有であった。

たまたま、和彦は結婚を機会に車を買い替えたところ、先方の手違いで、古い車は持って行ってしまったものの、新車がまだ届かないという不手ぎわで、このバカンスのドライブ旅行にはレンタカーでも借りてと思っていたのを、

「だったら、俺のを使えよ。うちは女房の車もあるから一向にかまわない」

といってくれたものである。

あの場合、止むを得なかったとはいえ、上司から借りた車を放棄した恰好になっているのを、

和彦が気にしているのは当然であった。

プルメリアの白い花が咲いている小道を抜けて、ダイニングルームへ行くと、ちょうど和気良太(わけりょうた)とカシムがテーブルに着いたところであった。

「ご一緒に如何(いかが)ですか」

声をかけられて、和彦は止むなくといった恰好で、その席についた。

昨日、ジープでこのロッジまで送ってもらった手前、そう素気(そっけ)ない態度もとれない。

朝食はコンチネンタル・スタイルであった。

オレンジジュースにコーヒーに、ぼそぼそしたパン。

和彦は、最初から食欲なかった。

「ここでは、タクシーは、どこから来るんですかね」

二杯目のコーヒーを飲んでいる良太に訊(き)いた。

「多分、トリンコマリーじゃありませんか」

同じテーブルで一人だけ、朝からインド風のカレーを食べているカシムにシンハリ語で問うた。

トリンコマリーはスリランカの北東部随一の港であった。マハヴェリ川の河口にあって、世界一の天然港といわれ、そのために古くから外国の支配を受けて来た。

スリランカの中心がコロンボに移った今も、ここに寄港する外国船は少くない。

カシムがカレーを指先で口へ運ぶのをやめて、二、三度、うなずいた。

「やはり、トリンコマリーだそうですが」

このハバラナからは、およそ十キロの距離であった。

「車が気になっているのですよ」

良太の視線を受けて、和彦が弁解した。

「なにしろ、昨夜中、放りっぱなしなので」

「トリンコマリーから修繕屋(しゅうぜんや)が、このホテルに来ることになっていますが……」

昨夜、フロントから頼んでもらっている。

「しかし、この国の人間は、何時になるかわからんでしょう」

カシムが日本語を話せないと知っていての会話であった。

「タクシーなら、すぐ来るでしょうから、僕が先に現場に行っていて、修繕屋は家内が連れて来ればと思っているのですが……」

良太が笑った。

「それなら、僕が現場におつれしますよ」

昨日、彼らが乗って来たジープがあった。

「しかし、それでは、あまり御迷惑でしょうから……」

和気良太にも、旅の予定はあるに違いなかった。

「いや、僕は急ぐ旅じゃありません。今日はシギリヤレディをみに行くつもりでしたが、別に、今日でなくともかまいませんから」

シギリヤレディといったのは、ここからさして遠くない密林の中にある有名なシギリヤ岩山（ロック）と呼ばれる城跡の岩壁画のことであった。

スリランカを訪れる観光客の大半が、このシギリヤレディをみるために、はるばるここまでやって来る。

「三好さんは、シギリヤへは、はじめてですか」

良太が訊き、和彦が苦笑した。

「僕はもう長いことスリランカにいますので、すでに行っています。しかし、家内は初めてなので、案内してやりたいと思っていますが、なにしろ、あの長い石段とロッククライミングには閉口ですよ」

その時、白い服を着たボーイがテーブルに近づいた。英語で、トリンコマリーから車の修繕屋が来たことを和彦に告げる。

「そりゃあ助かった」

いそいそと出て行った和彦が、すぐに戻って来た。

「今から行って来るが、君はホテルで待っているかい」

浩子が返事を迷っていると、良太がいった。

「もし、よろしければ、シギリヤへいらっしゃいませんか、今からなら、遅い昼食にはここへ帰れますよ」

そうしなさい、と和彦が答えた。

「僕は車が動くようになったら、ホテルへ戻っている」

椅子の背にかけてあった麻の上着を摑んでダイニングルームから去った。

「御迷惑ではありませんか」

改めて、浩子は良太に訊いた。

「私、シギリヤは、是非、行ってみたいと思っていましたの」

「御主人は二度と、おいやのようだから、我々と行かれたほうがいいですよ」

コーヒーを飲み干して、良太が明るく笑った。

「私でも、登れますか」

「運動靴をお持ちですか」

サンダルではないほうが、と注意した。

「勇敢なおばあさんが登るくらいの山ですが……」

十分後にロビイの玄関で待ち合わせをすることにして、浩子は部屋へ戻り、持参したスニーカーに履き替えた。木綿のスラックスに、スポーツシャツ、それにピケの帽子、小さなショルダーバッグとカメラを抱えて走って行くと、良太はジープの横で煙草を吸っていた。

運転は昨日と同じくカシムがした。

「ここからざっと一時間かかります。もう少し近い道があるのですが、昨夜の雨で通行止めになっているそうで……」

道はどこも、水が流れていた。大小さまざまの穴があいていて、そこにも水がたまっている。

が、天気はよかった。太陽の光はすでに大地を照らして、盛んに水蒸気を上げている。

「今日も三十度は越えそうですね」

濃いサングラスのむこうから良太が微笑した。

ジープが三十分も走らない中に、シギリヤ岩山は密林のむこうに、その奇妙な姿を現わした。

それは、拳骨を突き出したような形の岩山であった。頂上は、いわゆる山の上の部分をすっぽり切りとったように平たくなっている。

岩山の色も、又、あやしげであった。黒味を帯びた赤茶色の岩肌には昨夜の雨水が流れているのか、遠くからは黒光りに光っている。

「女性には失礼な説明ですが、シンハリ人は、あの岩山を男性性器にみたてています」

遠慮がちに、良太がいった。

「ひょっとすると、シンハラ王朝のカッサパ王が、その岩山を城にしたのは、そういったニュアンスがあるのかも知れません」

巨大な性器が、権力の象徴になるのは、どこの民族にもあることであった。

良太の表現は、いささかエキセントリックだとしても、たしかにシギリヤ岩山は不思議な雰囲気を持っていた。

平坦な密林のまん中に屹立しているせいもある。それに、浩子がガイドブックで読んだ限りでも、この岩山の城は悲劇の舞台であった。

紀元四五九年に、その頃、アヌラーダプラを占領していたタミール人を追い払った、シンハラ王朝のダートセーナ王には二人の王子がいた。

長男は妾腹の子でカッサパ、次男が正妻の子のモッガラーナ。

カッサパはクーデターを起し、王を捕えて自らが王位についた。弟はインドに逃れた。

カッサパは父王がひそかに宝物をかくしたと思い、問いつめたあげく、父王を焼き殺し、弟の来攻に備えて、難攻不落の岩山に城を築いた。

これがシギリヤ岩山だという。

岩山の下には、古都の跡が残っていた。

岩山へ向けて長い王の道があり、その左右に遺跡がちらばっている。

ジープを下りると、少年たちが寄って来た。

口々に、ヘルプ、ヘルプと叫んでいる。

「要するに長い石段を手をひっぱったり、後押しをしたりして、観光客から十ルピイぐらいをもらうんですね。奥さんは、僕がエスコートしますから、必要ありませんよ」

奥さんと呼ばれたことで、浩子は顔を赤らめた。

「私、三好浩子と申します。どうぞ、名前で呼んで下さい」

奥さんと呼ばれることにも、三好、と夫の姓を名乗ることにも、まだ、少々の照れくささがあった。

近くで眺めたシギリヤ岩山は巨大なきのこであった。突き出た笠の部分から滝のように水が落下している。

石の台地の間を良太が先に立って登りはじめた。カシムはジープのところで待つらしい。

「この辺が国会議事堂、というとオーバーですね、要するに政治のための大広間のあとですか」

石の柱と石の床であった。

「和気さん、シギリヤは……」

はじめてではなさそうであった。

「もう何回、来ましたか、何度、来ても、あとをひくところです」

巨石の間を廻（まわ）って上っていた石段が急に一直線になった。傾斜も急になり、道幅もせまい。太陽が帽子の上から熱く感じられた。岩山を上って行くのだから、遮（さえぎ）るものは何一つない。

「御主人はスリランカには、長いそうですね」

浩子の足許（あしもと）を気づかいながら、良太が話しかけた。

「着任してからは、一年とちょっとだと思いますの、大使館では、大体、一つところが二年ぐらいですから」

ただ、その前、インドにいた時分、何度かスリランカへ来ているらしいと浩子はいった。

それは、スリランカへ来てから夫に聞いたことであった。私用なのか、公用なのかは知らないが、とにかく、年に何度もスリランカを訪れていたらしい。

「スリランカが、お好きなんですね」

黙っていたが、浩子はそれに対して疑問を持った。

三好和彦は、どちらかといえば、都会派であった。

スリランカの貧しさ、汚らしさにはいつも腹を立てている。道路の悪いこと、時間にルーズなこと、食物のまずいこと、コロンボ市内でも蚊の出ること、水の汚いこと、埃のひどいこと、それらをひっくるめて、二言目には、

「だから、開発途上国は……」

と外交官らしくない発言をしたりする。

よくアメリカからの旅行者はホテルに着いて冷暖房が完備していなかったり、清潔な水が出なかったり、或いは列車や旅客機などの時刻表がいい加減だったりすると、ひどく落ち込むというけれども、和彦にも似たようなところがある。

それに、浩子が知る限り、彼はスリランカの歴史にも、宗教にも、自然にも興味がなさそうであった。

今回のバカンスに、北の仏跡めぐりをしてみたいといい出したのは、浩子である。大使館員の妻として、いつ、日本からの客のために、そうした場所を案内する必要が生じないとは限らないし、スリランカ在住の外交官の家族たちとのつきあいにも、そうした知識は必要だと考えて、夫に乞うての旅だったが、和彦の態度は決して、乗り気とはいえなかったのだ。

細く、長い石段の突き当りは、ほぼ直角にカーブしていた。シギリヤ岩山へまっすぐに登って来て、はじめて岩肌について横に移動することになる。

その部分は岩肌から外へ張り出して人工的な道がついていた。

そこからは密林が遠くまで見渡せた。

一筋、光って流れているのは、

「カラー・オヤ川です」

良太が教えた。

「さあ、いよいよ、シギリヤレディに御対面ですよ」

彼の声が、はずんでいると浩子は思った。

そこは、岩棚であった。道は人一人がやっと通れるほどで、上には岩の庇がせり出している。

「シギリヤレディをみるには、午前中がいいんです」

良太が遠慮がちに浩子の手をひいた。

太陽の光が、斜めに岩肌へさし込んでいた。

そこに、美女の画像が並んでいる。

岩肌は青茶色であった。画像は茶の線でくっきり描かれ、女の肌は黄色っぽくみえた。

髪には、宝石をちりばめた黄金の冠をつけ、首にも腕にも燦然とした首輪、腕輪の飾りが描かれていた。

上半身は裸体で、豊かな乳房が見事であった。

美女たちは細面で切れ長の眼と細い眉、そして唇には、なんともいえない微笑をたたえている。

「インドのアジャンターの壁画を御存じですか」

良太に訊かれて、浩子は首をふった。

「私、インドには、まだ行ったことがございません」

「似ているというんですよ、たしかに似ている点はありますが、この女性の顔はやっぱりシンハリ人だと、カシムもいいます」

「美人ですけど、なんとなく不気味な印象がします」

「眼と唇の表情のせいでしょう、古拙的微笑(アルカイック・スマイル)というんだそうですよ。たしかに夕暮にみると、一層、不気味ですがね」

画像は腰のあたりまでであった。蜂(はち)のようにくびれた胴から豊満な腰へ線がのびるあたりに色とりどりの腰巻の一部がのぞいていて、そこで終っている。

「かつては五百体もあったそうですが、今、遺(のこ)っているのは二十数体、その中、一般にみせているのは、この附近だけですが……」

「誰が描いたのでしょう」

素朴な問いを、浩子が口にした。

「カッサパ王が妻妾を描かせたという説と、この岩山に王と共に住むことになった兵士が故郷のアヌラーダプラにおいて来た妻や恋人を想って描いたというのと二説ありますが、僕はどっちも違うような気がしています」

シギリヤレディの岩棚の先へ進むと、間もなく広場へ出た。

そこから頂上へは、もう石段はなく、岩の間をよじのぼって行かねばならない。

「ごらんなさい、これが獅子の前脚(まえあし)です」

岩にライオンの脚の部分だけが彫ってあった。二つの前脚が、ちょうど門柱のような恰好になっている。

正面にそそり立つ岩の峰が、そのまま獅子なのであろうか。

「上まで登りますか」

訊かれて、浩子は反問した。

「和気さんは……」

「僕は、いつ来ても頂上まで上ります」

「それじゃ、連れて行って下さい」

岩の門には、僅かに足がかりが残っていた。

道のような部分もあるが、決して安心は出来ない。岩の肌に両手を突いて一歩一歩、用心深く上って行くと、又、石段に出た。

そこから頂上のテラスまでは一息である。

岩山のてっぺんの台地には草が茂っていた。

風が汗ばんだ肌にさわやかである。

四方は、すべてが密林であった。

「これなら、どこから攻めて来ても、すぐわかりますね」

天然の要塞に違いなかった。

「面白いことに、これだけの城を築いたカッサパ王は、何故かインドからの援軍を得て攻め寄せて来た弟のモッガラーナに対して、この城を出て、野戦をやって敗れて自殺しているのですよ」

良太の声が風の中に吹きとんだ。

「僕は、ここへ来る度に考えています。あのシギリヤレディのアルカイック・スマイルと、カッサパ王の最期の理由、それが知りたくて、ここへ来るといってもいいくらいで……」

そのあと、良太がなにをいったのか、浩子の耳には届かなかった。下から一団の観光客が賑やかに話しながら上って来たためだったが、或いは、その最後の言葉を正確に訊いていたら、このあと、彼女がたどって行った人生が少しは変ったものになったかも知れない。

ともかくも、浩子は良太の言葉を聞きそこねた。それよりも、漸く頂上にたどりついた集団に関心を奪われていた。

それは、日本人の僧侶のグループであった。

頭は丸いが、着ているのはズボンにシャツ、全員がカメラを手にしていた。

その中の数人は、キャンディのクィーンズ・ホテルのロビイで三好和彦に、昨夜、殺されたのは日本人に違いないと訴えた顔ぶれである。

彼らはシギリヤ岩山の頂上から、下を指して、あれこれと話していた。草むらにへたり込んで息をはずませている者もある。

グループの中に、彼がいないのに浩子は気がついた。昨夜、ハバラナ・ヴィレッジの浩子たちの泊った部屋の真向いのコテージの二階で、たった一人でビールを飲んでいた、でっぷり肥った赤ら顔の僧である。

「おや、あなたは……」

一人の、かなり年配の日本人が浩子に声をかけた。坊さんグループの一人である。

「キャンディのホテルで、お目にかかった……」

浩子はうなずいた。別に彼女自身は口をきいたわけではないが、三好和彦の傍にいたのを、むこうが見憶えていたに違いない。

「あなたも、シギリヤへお出でしたか」

浩子は微笑して、うなずいた。

日本から来る坊さんのグループの目的は、大方が仏跡めぐりだったが、その中にシギリヤレディが加わっていたとしても可笑しくはない。

日本は大乗仏教の国であった。

てっとり早くいえば、釈迦がなくなった時、その弟子達は、釈迦の言行通りに厳しい戒律を守って、その功徳により現世から解脱すべきだというグループと、それは厳重すぎるから、もっと大衆一般が教えを理解出来るように、仏や菩薩の慈悲にすがることによって救われるという教義を広めるべきだと主張するグループに分裂した。

どちらが一般的かといえば、無論、後者で、これはインドからシルクロードを越え、中国、朝鮮、日本へ広まって行った。この教義の人々は、自らを大乗派と称し、前者のグループを小乗派と呼んだ。

スリランカの仏教は、この小乗派で、この呼び方は大乗派が勝手につけた、いわば蔑称なので、小乗派自身は、自らを、上座にすわる長老の教えに従って、厳格に戒律を守るという意味で、上座部と名乗った。

いうならば、スリランカは上座部仏教の聖地であったのだ。

しかし、スリランカへやってくる日本の僧侶は本来が大乗派である上に、現代生活は俗人並みだから、仏跡めぐりの旅といっても女性を同行し、宝石も買えば、一般観光もする。

浩子と立ち話をしている僧のところへ、もう一人の連れが近づいた。

「シギリヤ・ロッジがみえるよ」

と教えに来たものであった。

その指す方角をみると、密林の中にホテルの建物らしいのが眺められた。ハバラナ・ヴィレッジと同じように、コテージ形式で、マッチ箱のような客室が点々としている。

「そのむこうに、もう一つ、ホテルがみえとるが、あっちはシギリヤ・ホテルじゃそうな」

二人の会話に、浩子は不審を持った。

「失礼ですけれど、昨夜のお泊りはどちらですか」

最初に浩子へ声をかけたほうが返事をした。

「あそこにみえとるでしょう。シギリヤ・ロッジですわ」

あなたは、と訊かれて、浩子はハバラナ・ヴィレッジと答えた。

「私、ハバラナ・ヴィレッジで皆さまのお連れの方をおみかけしたのですけれど……」

思い切っていうと、二人が不思議そうな顔をした。

「わたしらは、みんなシギリヤ・ロッジに泊ったが……」

「あの方ですわ、よくお肥りになって、顔の赤い、大柄な……」

スリランカ特産のバテックのシャツを着ていたというと、一人がうなずいた。

「あの人は、我々のグループではありませんよ。キャンディのホテルで知り合っただけで……京都から来たような話だったが……」

「おつれではなかったのですか」

「私たちは静岡の坊主ばかりでしてね」

良太が遠くから、浩子を呼んだ。

「ぼつぼつ、下りましょう。御主人がお待ちになっているといけない」

浩子は僧侶のグループにお辞儀をして良太のほうへ走って行った。

五

ハバラナ・ヴィレッジに戻って来たのは、午後二時であった。

フロントで訊ねてみると、三好和彦はまだ帰っていないという。

部屋へ行ってみたが、勿論、彼の姿はなかった。

ざっとシャワーを浴びて、着がえをすませ、ダイニングルームへ行ってみた。

良太も先刻とは違った色のシャツに白い綿のズボンという軽装でビールを飲んでいる。

「修理が手間どっているのかも知れませんね」

ひょっとすると、車をトリンコマリーまで運んだということも考えられた。

「食事をしませんか。今、カレーを注文するところなんですよ」

誘われて、浩子もテーブルへ就(つ)いた。

激しい運動をして来たので、空腹であった。

コロンボで、すでに経験ずみだったが、スリランカのカレーは、日本のカレーとは大分、異ったものであった。煮込む材料によって香料もさまざまらしいが、とにかく口中が火のようになる辛さである。

「このホテルのは観光客用に手加減してあるそうですよ」

と良太がいったが、ぼそぼそした飯の上に、フライやらココナッツやらなすの煮たのだのをのせて、魚のカレーをかけ、スプーンでまぜ合せて口に運ぶと、涙が出た。

良太はカシムと同じように、右手を使って器用に飯を丸めて口へ放りこんでいた。

「お上手ね」

「馴(な)れですよ、郷に入れば郷に従えです」

一時間ばかりで食事は終ったが、三好和彦は帰って来ない。

「一休みしたら、ジープで行ってみますか」

良太が浩子の顔色をみて、いい出した。

「どっちみち、僕は、ダンブラまで行くつもりなんです、昨日、大雨で岩窟(がんくつ)寺院をみられませんでしたので……」

ダンブラの寺院も、シギリヤほどではないが岩山の上にあるといった。

「昨日の雨じゃ岩が滑って危険だとカシムがいうものですから……」

幸い、今のところ、空は晴れていた。

「一本道ですから、御主人と行き違いになることはありませんよ」

小休止の後、浩子は再び、ジープに乗った。

だが、行けども行けども、和彦の車には出会わなかった。

「たしか、この辺じゃなかったですかね」

良太がジープを停めたところは、川の近くであった。道は今日もかなりぬかっているし、野も畑も水びたしである。

どこにも、車はみえなかった。人影もない。ダンブラの町まで行って、結局、ジープはハバラナ・ヴィレッジへひき返した。

和彦は、まだ戻っていない。

「待って下さい、トリンコマリーの修繕屋に電話をしてみましょう」

フロントへ行って、良太が修繕屋の電話番号を訊ね、カシムが電話をした。彼が奇妙な表情をして、シンハリ語で、良太に告げた。

「そんな馬鹿な……」

トリンコマリーの車の修繕屋は、仕事がいそがしくて、今日は行けないという返事であった。

「なにかの間違いだよ」

電話では埒があかないといい、良太はカシムをうながしてジープでトリンコマリーまで行ってくれた。

戻って来たのは、夕方である。彼の顔が蒼ざめているのを、玄関で出迎えた浩子はみた。

「トリンコマリーには、車の修繕屋は一軒しか、ありません。その店の主人はたしかに昨夜、ハバラナ・ヴィレッジから依頼の電話は受けたが、今日は忙しくて行くことが出来なかったというんです」

すると、和彦が乗って行った車は、なんだったのか。

ハバラナ・ヴィレッジのボーイが呼ばれた。今朝、和彦を呼びに来た男である。

「乗用車に乗って来たのは、シンハリ人です。中年の男で、たしかにトリンコマリーから来た車の修繕屋で、ミスタ三好に依頼されたといっていました」

車のナンバーは憶えていないという。

夜になっても、和彦は戻らなかった。

和気良太はカシムと一緒にジープでもう一度、ダンブラの近くまで和彦を探しに行ってくれたが、なんの収穫もなかった。

ダンブラの町で訊いてみても、和彦らしい日本人をみたという者はない。

「どうぞ、もう休んで下さい。もしかしたら、彼から連絡があるかも知れませんので……」

疲れ切っている良太をみて、浩子はそういった。

心のどこかに、ひっかかっているものがあった。

このホテルに着いた時に、和彦が誰かをみつけたことであった。それは、キャンディの植物園のレストランからつながっていた。

もしも、和彦の特別な友人が、なにかの目的で和彦のあとを追って来ていたとしたら、和彦がその人物のために、やむなく、どこかで時間を過しているかも知れない。

浩子の直感では、その人物は女性であった。

結婚前から、和彦と深い関係を持っている女性なら、或いはそういうこともあるかも知れない。

不安を抑えて、浩子が一夜を過したのは、もし、万が一、そうした場合、あまりさわぎ立てて、彼が恥をかくのではないかと怖れたからであった。

その日、雨は夜明けから降り出した。豪雨が上ったのは、午前十時になってからである。

コテージの部屋の中で、浩子は途方に暮れていた。

夫の身に異常が起ったと思うべきであった。

それならば、コロンボの日本大使館へ連絡して、然るべき手を打ってもらわねばならない。

ためらいがないわけではなかった。外交官はなによりもスキャンダルを嫌った。

部屋のドアがノックされた。

「和気です」

ドアを開けた浩子をみて、良太は大きな歎息をついた。なんといったものか、一瞬、言葉を探したように口ごもり、やがていった。

「御主人の車が発見されました。ポロンナルワのホテルです」

浩子は無言で良太をみつめた。

本当なら、御主人がみつかりました、というべきところを、御主人の車が、といった彼の真意を考えた。

それは不吉な予感であった。

良太が軽く、咳ばらいをした。

「大使館には、すでに連絡が行っているそうです。僕のジープで、ポロンナルワへ行ってくれますか」

浩子は頭を下げ、部屋のテーブルからハンドバッグだけを手にした。

ジープの運転は良太であった。

ハバラナからポロンナルワまでの間に、町らしい町へ出たのは一度きりで、良太はそこのガソリンスタンドで注油をし、あとはひたすらジャングルの中の道をふっとばした。

もっとも、どうスピードをあげたところで対向車もないような場所だが、例によって並大抵の悪路ではないから走りたくとも思うようには走れないというのが実状であった。

ジープが止ったのは湖のほとりであった。

小さな建物が一軒だけある。

休憩所といった感じだが、ホテルであった。

玄関に車が三台、駐車している。一台は、浩子がコロンボから夫と共に乗って来たものであった。警官が二人、その横にいた。

他に人の姿はない。

なんとなく、浩子は自分が走って来た方角をふりむいた。家は一軒もなく、広々とした荒野がホテルの前面にある。あとで気がついたことだが、それがポロンナルワの遺跡であった。

ホテルの中から白人の男が来て、良太に英語で話しかけた。

そっちのほうへ歩き出して、浩子は開けっぱなしのホテルの玄関の奥へ眼をやった。

そこは湖に張り出した恰好でテラスが出来ていた。板張りの床の上にカーペットを敷き、椅子とテーブルがゆったりした配置で並んでいる、湖へ開けた部分にはデッキチェアが五つばかり、そしてその手前に、濃青の布が敷いてあった。人がその上に横たわっている。

白い麻のズボンに、青いシャツ。浩子は一足、玄関を入って、その人物の顔をみた。

水ぶくれになった男の顔へ視線がとまって間もなく、浩子は眼の前が急にまっ暗になった。

「浩子さん」

良太の声が背後で叫び、がっしりと抱きかかえられたのが、最後の記憶であった。

一週間後、浩子はコロンボのホテルに移っていた。

大使館の官舎は、次に赴任して来る人のために、はやばやと空けた。

狂気のような一週間であった。

日本からは、三好和彦の両親が、浩子の両親と兄の彰一と共にやって来た。

両家の親達は茫然自失の体であった。

三好和彦は病死ではなかった。

死体で発見されたのは、ポロンナルワの湖上である。解剖の結果は、水死である。

遺体はコロンボで荼毘に付され、骨になって帰国することになった。

両家の親達は、コロンボで仮の葬式をすませ、浩子よりも一足先に日本へ戻った。そうするように取りはからったのは、浩子の兄の彰一であった。自分は浩子と共にコロンボに何日か残り、すべての手続きや、厄介をかけた筋へ挨拶をすませてから、浩子を伴って帰国するといい、浩子と共に、コロンボ市内のインターコンチネンタルホテルから、同じ海沿いのガルフェイスホテルへ移った。

インターコンチネンタルホテルが近代的な設備を誇るとすれば、ガルフェイスは植民地時代の面影を残すホテルであった。

一八六四年に建てられたというだけあって、その当時はモダンでも、高級でもあったろうが、百二十年からの歳月を経た今は、骨董品的な存在に化している。

浩子は、兄がこのホテルに移ったのは、人目を避けるためだと解釈していた。

インターコンチネンタルホテルには、日本人旅行者の宿泊が多い。

スリランカの僻地で変死した日本人外交官の事件は、それが新婚早々であったことも手伝って、日本でもかなり大きなニュースになった。週刊誌などには、どこで入手したのか、和彦と浩子の結婚式の時の写真までを掲げたところもある。

実際、ホテルのロビイに立っていた浩子を団体旅行にやって来た日本人グループが、

「あの人、例の……新婚さんじゃない」

とささやいて、浩子を居たたまれない思いにさせたことがあった。

そうでなくとも、コロンボ在住の日本人の出入りも多い。

ガルフェイスホテルのほうは、すでに時代にとり残され、格式ばかり高くて薄汚いホテルなどという悪口をもらっているから、日本人の客は滅多にみない。

兄妹の部屋はそれでもインド洋にむいていた。

青い海と、青い空が果てしない広がりをみせてくれるのが、なによりの御馳走であった。

兄が外出から戻って来た時も、浩子は海を眺めて、風に吹かれていた。

「旅行社へ行って、車とドライバーを調達して来たよ」

明日の朝、コロンボを発(た)ってポロンナルワへ向うといった。

「スリランカに居る中に、どうしても調べておきたいことがある」

おそらく、そうだろうと思った。

彰一は警察官であった。それも警察庁国際刑事課に所属している。

両親について彼がスリランカへやって来たのは、被害者の義兄としてではなく、刑事として事件の解明につとめるのが、本当の目的に違いないと、浩子は気がついていた。

事件の真相をはっきりさせるのは、彼にとって、妹の名誉のためでもあった。

三好和彦の死は、自殺か他殺か判然としていない。

兄が、なにより先に妹に訊いたのも、その点であった。

「和彦君が、自殺したと思うか」

浩子は、あっけにとられ、やがて激しく否定した。

「冗談じゃないわ、自殺だなんて……」

「心当りはないな」

「ありません」

情ない気持であった。新婚早々の夫の死を、或る種の人間は、夫婦仲が可笑しくて、と猟奇的な推測をしている。

妹の否定に、兄はうなずき、二度と同じ質問をしなかった。そのかわりに、兄妹二人きりの時、そっとささやいた。

「心配するな、和彦君を殺した犯人は、兄さんが必ず、みつけ出してやる」

そのために、兄は妹と共に帰国を遅らした。

テーブルの上に、彰一が地図を広げていた。

「すまないが、もう一度、復習をさせてくれないか」

すでに、浩子は何回もスリランカの取調官に対して事情の説明をしていたし、それは兄も同席してきいている。

しかし、今日からのは、それらとは根本的に違うものであった。兄に対して、浩子は嘘をつく必要も、死んだ夫の名誉を守る義務もなかった。

妹を信じて、兄はすべてを話せといっている。

彰一がメモを開いた。

「ポロンナルワのホテルの支配人によると、和彦君がホテルに車を乗りつけたのは、三月九日の夜、八時すぎだったという。その時、彼は一人で、食事はいらないといい、チェックインしてからは一度も部屋の外へ姿をみせなかった」

浩子は耳をすませて、兄の言葉をきいていた。それは、もう何度もあちこちから聞かされた和彦の死に至るまでの経過だったが、兄の口から聞くと、なにか今までとは違って、もつれた髪をブラシが解きほぐして行くような感じがする。

「次に、このホテルの従業員が和彦君をみたのは、翌十日の早朝、七時前後に、ダイニングルームの仕度をしていたボーイの一人が、湖のふちに人間らしいものが浮んでいるのを発見し、何人かで近づいてみると、それがホテルの湖側の小さな庭の岸辺の杭に着衣の一部をひっかけていた和彦君の死体だった」

服装は、前夜、到着した時とほぼ、同じだが、麻の上着は、彼のチェックインした部屋に残されていた。

「その夜、部屋にあったのは、トッディというスリランカの地酒の瓶。中身はおよそ半分に減っていた。ダンヒルの紙巻き煙草が五本残っていたシガレットケースと、同じくダンヒルのライター、一万六千二百ルピイの入った茶の財布、キイホルダー、それから上着のポケットにハバラナ・ヴィレッジの支配人の名刺が一枚」

そうだったと、浩子は思い返した。

和彦のパスポートは、浩子のハンドバッグに一緒に入っていた。で、彼の身元を確認する唯一の手がかりが、ハバラナ・ヴィレッジの支配人の名刺ということになって、ハバラナ・ヴィレッジに連絡が来たものである。

「なにか、不審なことはないか」

兄の言葉に、浩子は考え深くうなずいた。

「なにもないわ」

所持品は、すでに品物を確認して浩子が受け取っていた。煙草もライターも、財布もキイホルダーも、すべて彼の愛用品に間違いがなかった。

服装も、九日の朝、トリンコマリーから修繕屋が来たといって出かけて行った時の恰好である。

「トッディという地酒だが、和彦君はあんなものを飲んでいたのかい」

「いつもはビールかウイスキーだったけど」

ココナッツの花の柄からしぼった樹液を発酵させたスリランカの酒を、浩子は知っていたが、夫がそれを飲むところは、みたことがなかった。

「でも、彼は一年以上もスリランカにいたわけだから、飲んだとしても可笑しくはないでしょう」

酒は強いほうであった。

彰一は、うなずいて、メモをめくった。

「和彦君が、お前をハバラナ・ヴィレッジにおいて出かけて行ったのは、九日の午前九時頃だね」

車がエンジントラブルを起した場所からホテルまでは、一時間少々と彰一はいった。

「地図をみて気がついたんだが、お前は和彦君が出かけてから、およそ二十分経って、和気良太という青年とシギリヤ岩山へ出かけている。その道は途中まで、車の故障現場へ行く道と同じなんだね」

その通りであった。

車がエンジントラブルを起したのはダンブラからハバラナへ向う途中であった。その現場からハバラナへ来る道の途中に、シギリヤ岩山へ向う道がつながっている。

「シギリヤ岩山へ行く途中で、お前の車とすれ違った車は、なかったかい」

浩子は首をふった。

「道が、夜の雨でひどい悪路なの、対向車が来たら、すれ違いが大変だと思っていたのだから……」

あればおぼえている筈であった。

「和彦君は、ハバラナのホテルから故障現場へ行ったのか、それとも、誰かが、あらかじめ、車をどこかへ運んでおいて、そっちへ連れて行かれたのか」

時間の空白が謎の一つであった。

少くとも、午前九時にハバラナのホテルを出て、夜八時にポロンナルワの湖のほとりのホテルに入るまで、和彦は、どこでなにをしていたのか。

「それと、ホテルに車の修繕屋と称して、和彦君を迎えに来た人物だ」

ハバラナ・ヴィレッジのフロントが電話をしたトリンコマリーの修繕屋は、多忙のため、その日はハバラナへ出かけられなかったといっている。それが本当なら、ホテルへ来たのは何者なのか。

「あたし、考えていたことがあるの」

浜に打ちよせるインド洋の波しぶきをみつめながら、浩子は兄に訴えた。

「和彦さんが、欺(だま)されて修繕屋と称する男に連れ出されたのではなくて、あたしの手前、車の修繕屋だと、とりつくろったのだとしたら……」

彰一は、妹の横顔をみつめた。

「彼は、お前に内緒で、どこかへ出かけたというんだね」

「もしかするとね」

「理由は」

「二つあるの」

キャンディの植物園のレストランと、ハバラナのホテルに着いた夜の、彼の異常な振舞を、浩子はなるべく刻明に、兄に話した。

「成程(なるほど)」

メモを丹念にとり、彰一は妹をいたわるように眺めた。

「だから、お前は一晩中、彼が戻らなくともコロンボの大使館へ連絡しなかったんだね」

結果的には、それが自殺説の根拠になった。

「もう一度、バカンス旅行のやり直しをしてみるか」

ポロンナルワへ直行せず、夫婦がバカンスをとり、コロンボを出発した通りに廻ってみると彰一はいい出した。

「お前には、つらいことかも知れないが、兄さんを和彦君にみたてて、その時の通りに行動してみよう」

翌日の出発も、この前の旅に合せて、午後に変えた。

キャンディに向う途中は、バテックの工場へも寄った。

旅行者向けに売店の奥の建物の中で、バテックの製造過程を見学させている。

和彦は妻を案内して建物と広場を歩き、バテックを染めている女達にカメラをむけて小銭を与えた。

買い物はテーブルクロス二枚であった。

キャンディのクィーンズ・ホテルへ着いたのが、夕方の五時であった。これも、この前とほぼ、同じであった。

日はまだ暮れず、ホテルの傍のアーケードは人がごった返している。

「夜はキャンディのダンスをみに行ったの。町はずれのお粗末な小屋だったけど……」

ホテルの窓から、キャンディの町の夕景を眺めて話していた浩子の言葉が、ふと途切れた。

「忘れていたわ」

何故、今まで忘れていたものか。

「あたし、ここのアーケードの骨董品店で象の顔をしたヒンズー教の神像を買ったのよ、ブロンズで……ガネーシャっていう神様の像を……」

それを、キャンディから出発する時に車のトランクに入れた。

途中、車が動かなくなってジープに移った時、すでに浩子はそのことを忘れていた。

ガネーシャの像は、車のトランクに入れっぱなしであった。

ポロンナルワで、和彦の死体がみつかって、車の中を、浩子は何度も確認させられた。

車のトランクの中も。

ガネーシャの神像は、どこにもなかった。

第二章　ニューヨークの死

一

スリランカの古都、キャンディの町で、妹の浩子（ひろこ）が買った象神像（ぞう）が、彼女と夫がドライブ旅行を続けていた車の中から紛失していたことに、警察庁国際刑事課の係官である有沢彰一（ありさわしょういち）は関心を持った。

青銅の、その象の顔をした神像を、浩子はキャンディを出発する直前に買い、車のトランクに入れて出発した。

車が動かなくなったのは、キャンディからハバラナへ向う途中で、幸い、あとから来た和気良太（わけりょうた）のジープに乗りかえてホテルへ向ったのだが、その時、浩子はトランクの中の象神像のことを忘れて、そのままにした。

夫の和彦（かずひこ）が車をとりに行ったのは、翌日で、彼は結局、そのまま、行方不明になって、更（さら）に、その次の日に死体でポロンナルワの湖に浮んだ。そして、彼が前夜、泊ったポロンナルワのホテルの玄関に駐（と）まっていた車のトランクからは、象神像が消えていたのだ。

「単なる紛失かも知れないわ」

車は少くとも、一夜、路上に放置されていたものである。誰か、通りすがりの人間がトランクをこじあけて、象神像を持ち去ったのかも知れない。

「車のキイは和彦君が持っていたんだな」

兄が念を押した。

「車には、勿論、鍵をかけてあった」

「そうよ。車のキイは、ポロンナルワのホテルの部屋に、彼の持ち物と一緒においてあったわ」

「ちょっと待ってくれ。コロンボの高木さんに電話をしてみる」

彰一がキャンディのクィーンズ・ホテルから電話をしたのは、コロンボの日本大使館に勤務している高木保雄で、実をいうと浩子達のドライブ旅行の車は、彼から借りたものであった。

「車のトランクの鍵に損傷はなかったそうだよ、その他、車のドアの鍵にも異常はないといっている」

和彦と共に発見された車は、全くの無傷であり、エンジントラブルも修理されていた。

「誰かが、出来心で盗んで行ったのではないのね」

「その可能性は少いな」

ともかくも、浩子が象神像を買った店へ行ってみようということになって、兄妹は外へ出た。

相変らず三十度以上の気温の高さと蒸し暑さで一日を過したキャンディの町は、夜になって漸く一息ついたという感じであった。

民芸品を並べた、その店には若い男がいた。

この前、浩子が来た時、和気良太が値段の交渉をしてくれた主人らしい男の姿はみえない。

店番の若い男は、全く英語が解らなかった。

この前、ここで象神像を買ったといっても、ぽかんとしている。

「いったい、象神像っていうのは、どんなものだったんだ」

店を出てから、彰一が訊ねた。

「ヒンズー教の、ガネーシャっていう智恵の神様なんですって、日本の聖天様の元祖だっていわれて、面白いから買ったんだけど……」

「いくらだったんだ」

「二千ルピイ。およそ百年前のものです」

「たいした値打の品物じゃなさそうだな」

ホテルへ戻るアーケードの道を歩きながら、彰一が苦笑した。

「そういえば、この辺りで殺人事件があったのよ」

「いつだ」

「あたし達がクィーンズ・ホテルへ泊った夜」

殺されたのはバンコク在住の華僑であった。

「それを、クィーンズ・ホテルに泊り合せていた日本のお坊さんの団体がね、前の日の夕方に、その人と宝石店で一緒になった時、日本語がぺらぺらだったから、てっきり日本人と思い違えて、和彦さんが話をきいたりしたの」

糸がほぐれ出したように喋る妹の話を彰一は熱心に聞き、メモをつけていた。

翌日は仏歯寺と植物園を廻って、ハバラナへ向った。

植物園のレストランで、和彦が誰かを発見したことも浩子は忘れずに話した。彼が眺めていたバイアンの大樹の下には、今日も大勢の観光客がいる。

ハバラナへの道は、悪路ではあったが、この前よりはましであった。このところスリランカは大雨がない。

山越えの道には、この前、豪雨のためにまるで目に入らなかった夾竹桃の林や、檳榔樹や、扇形の葉を広げたタリポット・ヤシなどが入れかわり、立ちかわりという感じで車窓を彩った。

近くに宝石の採掘場があると和彦が教えてくれたマティルの町を過ぎ、やがてダンブラを通過した。

「たしか、このあたりだと思うのよ」

車がぬかるみに突っ込んで立ち往生した場所であった。

目じるしといっては、なにもないが、あの翌日、和気良太と夫を探しにやって来て、長いこと、このあたりを行ったり来たりして、大体の地形が記憶に入っている。

「なんにもないところだな」

道の左右は畑地であった。もっとも、今は荒れ果てていて、雨のために流れて来たのだろうか、枯木がごろごろころがっている。

見渡す限り、人家もなく、車の通行も絶えている。

「あの時、和気さんのジープが来なかったら、とんだことだったわ」

日は暮れかけ、雨はやまず、車はびくともしない。

彰一は、カメラを手にして、その附近を丹念に撮影した。それはキャンディでも同様であった。

ハバラナ・ヴィレッジでは、特にフロントに頼んで、この前、和彦と泊ったコテージの部屋にしてもらった。

フロントは浩子の顔をおぼえていた。それは、そうだろう。この穏やかな田舎町で殺人事件などというのは、このホテルはじまって以来のことに違いない。

浩子たちのコテージの前の棟にはドイツ人観光客が入っていた。到着したばかりらしく、部屋の窓を開けはなって荷物の整理などをしているのが、こっちから眺められる。

「あの二階の部屋に、坊さんがいたのよ」

思い出すままに、浩子は兄に告げた。

でっぷりした赤ら顔の男は、クィーンズ・ホテルで日本の静岡から来た坊さんグループの中にいたのだったが、

「その人だけは、京都から来たとかで、静岡の坊さんのお伴れではなかったみたい……」

一人きりで、このホテルに泊り、ビールを飲んでいた。

「あの二階の部屋だな」

彰一は身軽く、そっちのコテージのほうへ走って行ったが、戻って来た時はメモに部屋の番号

を書きつけていた。

「二九二号室だよ」

そのまま、浩子を部屋へ残して、フロントへ行った。

思い出のホテルの部屋で、浩子は暫く、ぼんやりしていた。テラスのむこうには、プルメリアの花が今日も咲いている。鳥の声と、窓から流れ込んでくるなまあたたかい風と、なにもかも、あの夕方と同じなのに、自分は未亡人になってしまった。

兄の足音が、コテージの玄関を入って来た。

額に汗が流れている。出迎えた妹と部屋の中央まで戻ってくると、黙ってソファに腰を下した。妹がさし出したハンカチーフで汗を拭く。その間に、言葉を整理したようであった。

「面白いことを発見したよ」

メモをひろげた。

「あの晩、二九二号に泊っていたのは、京都の坊さんじゃない」

浩子は小さな声を上げた。

「ボーイやメイドにも、確認して来たが、人相はお前のいう通りだ。でっぷり肥った、赤ら顔で、派手なバテックのシャツを着ていたそうだ」

「そうよ、頭だって、くりくり坊主で……」

「それが、従業員の印象に強く残ったんだな。みんな、そいつの顔はよくおぼえていた」

「どこの人だったの」

「住所はニューヨークだ」

「なんですって」

「名前は楊子春。華僑のようだな」

兄妹の頭上で扇風機が音もなく廻っていた。

二

小出玲子(こいでれいこ)がワシントンからニューヨークへ向ったのは六月の第一土曜日の朝であった。

このところ、東部アメリカは、急に気温が高くなって、今日などはまるで真夏日のようであった。空港ビルでみかける人々の服装もいい合せたように白っぽくなっている。

こんなことなら、今年、新調したばかりの麻のスーツを着てくるのだったと、玲子は少しばかり後悔していた。

今日、日本からやってくる有沢彰一の乗った便は、十時三十分にニューヨークのケネディ空港に到着する筈であった。

ワシントン、ニューヨーク間のフライトは一時間足らず、おまけにシャトル・サービスという予約不要の通勤電車並みの航空会社もあり、多い時には同じ時刻に三便が同時に離陸するほどで、小出玲子の乗った機内も、殆(ほと)んどがアタッシェ・ケース一個の身軽なビジネスマンがコーヒーを飲みながら書類に目を通している。

有沢彰一とは、ほぼ同期であった。

小出玲子が婦人警官として第一線に立った頃に、彼はエリート警察官としてすでに頭角を現わしていた。が、親しく口をきくようになったのは、二年ほど前から、玲子の妹でやはり婦人警官だった小出佐知子が特殊任務につくようになって、その職場で有沢彰一と知り合い、恋仲になったからである。

いわば、玲子にとって有沢彰一は、未来の義弟であった。

実をいうと、玲子は結婚して婦人警官を辞めていた。

夫は銀行員で、ワシントンへ来ているのも彼の転勤に従ってのことである。

ニューヨークのケネディ空港へ着いたのは十時であった。

日本航空のカウンターへ行って、日本からの便が定刻の十時三十分到着の予定であることを確認してから、玲子はレンタカーの受付へ行った。

この空港からニューヨークの中心部であるマンハッタンまでは約二十四キロもあるし、そのあと、彰一と行動を共にするにしても、車は必要であった。

妹の電話でおおよそのことしか知らされていないが、彰一がニューヨークへ来るのは、表むきは休暇をとってのプライベート旅行になっているが、或る事件の捜査のためであるのはわかっている。

レンタカーの手続きをし、車を確認してから空港ロビイへ戻ってくると、ちょうど、日本からの便が到着したというアナウンスが入っていた。

待つほどもなく、有沢彰一は通関を終えてゲイトへ出て来た。

中型のスーツケースを軽々と下げて、片手で玲子へ合図を送っている。

「申しわけありません。御迷惑をかけて……」

「主人は、ちょうど出張で西海岸を廻っているんです。ニューヨークのことなら、まかしといて下さいな」

それでなくとも、妹からくれぐれもよろしくといわれている。

「ニューヨークは強いんですか」

「ワシントンへ行く前、およそ一年ちょっと、こっちにいたんです。ワシントンへ行って、まだ二ヵ月ですから、よっぽど、こっちのほうが馴れてますわ」

助手席に彰一を乗せて、手ぎわよく車をスタートさせた。女にしては度胸のいい運転ぶりである。

「鮮やかなものですね」

バックミラーをのぞくようにして、彰一が苦笑した。

「妹も運転は上手いんですよ。彰一さんとデイトの時は、いつも助手席らしいけれど……」

ちょっと言葉を切って、軽く頭を下げた。

「浩子さんのこと、おくやみがあとになってすみません」

新婚早々、浩子の夫が変死したことであった。

「佐知子さんから、お聞きですか」

「おおよそは、手紙で知らせてくれましたけれど……」

「世の中一寸先は闇といいますが、まさか、妹の亭主が、あんなことになるとは思ってもみませんでした」

「浩子さん、東京へお帰りだとか……」

「ええ、実家へ帰っています。先月、三好のほうの籍も抜きました」

子供があるわけでもなかった。夫に死なれた後まで、婚家にとどまる必要もない。

「さぞかし、ショックだったでしょう」

「みていて、かわいそうなくらいです。当人は明るくふるまっていますが、それがかえって不愍で……」

妹思いの兄であることを、玲子は妹から何度も聞かされていた。

「デイトをしていても、何度、浩子さんのことが話に出るかわからないくらいなの。時々、妹さんにやきもちが焼けちゃう」

と佐知子が訴えたのを、笑いながらいなしたこともある。今の彰一の様子をみていると、成程と思った。ニューヨークへ彼が来たのも、妹の夫の事件を調査のためときいている。

「ニューヨークのチャイナタウンというのは、大きいんですか」

果して、彰一は、すぐに自分の目的にとりかかったようであった。

「サンフランシスコのチャイナタウンを御存じですか」

「以前、出張で行った時、みて来ました」

「シスコよりやや小さいんです。でも、なかなか、たいしたものですわ。チャイナタウンに住んでいる中国人はおよそ一万人ときいていますから。ニューヨーク在住の中国人が三万人くらいなんです。三分の一はチャイナタウンにいるわけでしょう」

「ブルックリン橋の近くだそうですね」

「ニューヨークの警察本部の近くでもありますわ」

なんとなく微苦笑が出た。

「それじゃ、治安はいいでしょう」

「灯台もと暗しってこともありますから……」

「きびしいな」

ホテルはマジソン・スクェアの近くであった。

「ここからだと、チャイナタウンまで歩いて行っても、たいしたことはないですね」

チェックインをしながら、彰一がいった。どうやら、彼はニューヨークの地図を頭の中に叩(たた)き込んで来たらしい。

「車で五分くらいかしらね」

「すみませんが、歩いて行きたいんです」

「歩くのは平気よ。これでも、むかし取った杵柄(きねづか)でね」

婦人警官時代は掏摸(すり)係であった。足に自信がなければ、犯人は挙(あ)げられない。

荷物を部屋へおいただけで、彰一はすぐに出かけるという。

「一休みなさらないで、大丈夫ですか」

日本からノンストップで十二時間近くのフライトである。加えて、日本との時差は十四時間、完全に昼と夜が逆になる国であった。

「僕は馴れていますが……」

「あたしも馴れてますわ」

不思議なもので、現役の警察官と肩を並べて歩いているだけで、玲子にもかつての職業意識のようなものが湧いてくる。

「日本じゃニューヨークは物騒な街というイメージが、かなり強いんですが、暮してみて、どうでした」

彰一に訊かれて、玲子は苦笑した。

「たしかに、日本よりは治安が悪いような気がしますわ。夜は女一人で歩くなといわれますし、あたしの友人の奥さんなんか、ハンドバッグにいつもコルトを入れていたりしますけど、ただ、住んでみると、危い場所というのはわかりますから、なるべく、そっちには近づかないようにして。ただし、こっちの警官は日本とはだいぶ違うみたい。事件が起って、ヘルプって叫ぶと、わざと逆のほうへ警官が逃げて行ったとか、車の違反をしてつかまったら、免許証の間にドル札をはさんで渡せばOKだとか……一部の警官だと思いますけど、よく一般にいわれるんですよ」

午後のニューヨークは、やはり暑かった。通りには車がひしめいているし、人が肩をぶつけ合うばかりに往来している。

「いそがしそうに、人が歩いている地区は、まあ安心なんです。もしも、歩いていて、人がなにもしないで町角に突っ立ったり、すわり込んでいたりするところへ出てしまったら、要注意なんです」

二人とも歩くのは早かった。

やがて、ソーホー地区であった。道の片側に前衛的な画廊が並んでいる。

ブロードウェイをまっしぐらに下って、ユニオン・スクェアを突き抜ける。

「もし、お訊ねしていけないことでしたら、お返事下さらなくて結構なんですけれど、チャイナタウンには、どういう用事でいらっしゃいますの」

遠慮がちに玲子が訊ね、彰一が正面をむいたまま答えた。

「オリエンタル・バザールといいますが、多分、骨董屋でしょう。楊子春という男がやっている店が、チャイナタウンの近くにあるそうです」

「楊子春……」

「華僑のようです」

それが、浩子の夫の変死した事件と、どうつながっているのかと訊きたいのを、玲子は抑えた。

彰一が、具体的に何一つ、話さないのは、玲子がすでに婦人警官ではないためでもあろうと推察していた。

仮に警官であったとしても、部外者はよけいな詮索をしてはならないのが鉄則である。

玲子が先に立って道をまがった。

そのあたりにはイタリヤ語が目立った。

「リトル・イタリーです」

イタリヤ人街であった。更にイースト川寄りへ行くとアイルランド人居住地域で、

「むかしは浮浪者のたまり場みたいなところだったそうです。今でもアル中なんかが多いそうで、普通の人は敬遠しろといわれましたわ」

大体、このあたりにしても、玲子が足をふみ入れたのは何度でもない。

「チャイナタウンには比較的、よく行きましたが、いつも車で行って、知り合いの店へ寄って、さっと帰ってしまって……」

そのチャイナタウンはリトル・イタリーとカナル通りをへだてた南側であった。

仏教寺院がみえてから、彰一はメモに書いた住所をいった。

「待って下さい、李さんの店で訊いてみます」

夫とニューヨークにいた時分、支店の仲間に紹介されてよく食事に行ったチャイニーズレストランであった。飲茶が旨く、主人の李老人は気のいい広東系の移民である。

幸い、李老人は店にいた。久しぶりに顔を出した玲子を笑顔で迎えてくれたが、オリエンタル・バザールという店に関しては僅かながら眉をひそめるようにした。

「多分、チャイナタウン博物館の裏のほうにある店のことだと思うがね」

彰一は英語で、李老人に訊ねた。彼が日本語はほんの片言しか話せないのをみたからである。

「その店の主人は楊子春という人のようですが、御存じですか」

「知らないね、この辺に古くから住んでいる者とは、みんなつき合いがあるが、あの店はごく最近、出来た。我々になんの挨拶もないし、経営者の顔もみたことがないね」

玲子へ訊ねた。

「あの店へ、なんの用かね」

返事をためらった玲子の代りに彰一が答えた。

「楊子春という人が、スリランカで或る事件にかかわり合いまして、そのことについて訊きに行くんです」

「スリランカ……」

李老人が眼を丸くした。

「そりゃあ、遠いところだ」

「スリランカにも中国の方がかなりいらっしゃいますが、こちらのチャイナタウンの方とおつき合いはありますか」

「ないね。まず、そんな話をきいたことがないよ」

李老人は店の外まで出て、大体の方角を指して教えてくれた。

オリエンタル・バザールは、予想以上に小さな店であった。

店というからには、それなりのショウウインドウがあるとばかり思っていた彰一と玲子は、一度、その前を通りすぎ、ぐるりと廻って再び、その前へやって来て古めかしい扉の上にある申しわけ程度の看板にオリエンタル・バザールの横文字を発見して顔を見合せた。

それは店というよりも、住いであった。道路に面したほうには入口のドアの他には窓が一つ、それも格子を打ってあり、内側には昼間だというのに厚いカーテンが下っている。

ブザーを鳴らすと、三度目にドアが細く開いて女の顔がのぞいた。

彰一がはっとしたのは、女の服装がスリランカでよくみる風俗であったからだ。短かい上着にサロンと呼ばれる巻きスカートである。

「楊子春さんは、いらっしゃいますか」

と英語で訊ねたのに対し、女は、

「外出中です」

と短かく答えた。訛りのある英語であった。

「いつ、お帰りになりますか」

「今日は戻りません」

「では、明日は……」

「わかりません」

ドアが音もなく閉って、とりつく島もない。

「インド人かしら」

玲子がいった。

「サリーというのとも少し違うみたいでしたけど」

「スリランカでは、ああいう恰好をした女性が多かったですが……」

「スリランカですか」

その島で、彰一の妹の夫が死んだのは、玲子も知っている。

小さな家はひっそりしていた。隣は倉庫のような建物だし、もう一方は荒廃したビルである。

「玲子さんはホテルへ帰って下さい。僕は、念のため、張り込んでみます」

ひょっとすると楊子春が出てくるかも知れないし、今の女性が外出するようなら、それもつきとめたい、と彰一はいった。

「でしたら、お手伝いしますわ」

もしも、尾行でもすることになると彰一では、一ぺんでわかってしまう。

「あたしは、彰一さんの後にいたから、あの女の人に顔をみられていませんでしょう」

とにかく、服を替えて来ますといい、玲子は彰一の同意を待たないでチャイナタウンのほうへ走って行った。

彰一は道を後戻りしてオリエンタル・バザールの向い側の路地に出た。その両側も倉庫のようである。ドラム缶がいくつか積んである道のすみに立つと、オリエンタル・バザールの入口はよくみえた。ドアもカーテンも閉ったままである。

十分足らずで、オリエンタル・バザールの前の道を中国服の女が歩いて来た。玲子であった。

路地の中の彰一をみつけると、そのまま通りすぎて、迂回(うかい)して彰一のひそんでいる路地へ入って来た。

「チャイナタウンで買って、着がえて来たのよ」

抱(かか)えている紙袋の中には、今まで着ていたワンピースが入っているらしい。

「よく似合うでしょう」

「尾行はやめて下さい。万一、危険なことがあったら、とり返しがつかない」

「あたしがへまをすると思う。これでも、むかしは警察官よ」

「しかし……」

彰一が口をつぐんだのは、オリエンタル・バザールの戸口が開いて、あの女が出て来たからである。手に、古めかしいボストンバッグを下げている。

あたりを見廻す様子もなく、さっさと歩き出す。

「チャサム広場のほうへ行くわ。あたしにまかせといて……」

玲子が路地を迂回して出て行くのを、彰一は黙って見送った。よせといっても、思いとまる様子はない。

彰一の張り込みは長いこと続いた。オリエンタル・バザールのドアはびくとも動かない。玲子が戻って来たのは、夕暮が濃くなってからであった。

「あの人、ブルックリン橋を歩いて渡って、ブルックリン・ハイツへ入ったの。アパートを確認して来たわ」

尾行に対して、全く気づいたふうはなかったといった。

「こっちは相変らずだ、誰も出て来ない」

「あの人のいう通り、留守かも知れないわ」

家の中は、とっくに電気のともる時刻になっても、オルエンタル・バザールはまっ暗であった。

「明日、もう一度、出直して来ましょう」

夜になっては、いささか剣呑な場所でもあった。玲子にそういわれると彰一にしても反対のしようがない。

「チャイナタウンの李さんのところで食事をしましょう。帰りがけにタクシーで、この前を通って、もう一度、人が住んでいるかどうか窺ってみればいいわ」

そして、夜八時すぎ、二人がタクシーでこの道を通った時、オリエンタル・バザールは外灯もつかず、まっ暗なままであった。

翌日は九時すぎにホテルを出て、玲子の運転する車でオリエンタル・バザールへ来た。

何度、ブザーを押しても返事がない。

「早すぎて、誰も来ていないのかもね」

玲子がなんの気なしにドアの把手に手をかけた。鍵はかかっていなかった。

「冗談じゃないわ。ニューヨークじゃ、中に人がいたって、鍵は必ずかけておくものなのに……」

覗いてみた部屋の中は、暗かった。開いたドアのところから、声をかけたが、やはり返事はない。流石に、他人の家へふみ込む勇気はなくて、ドアを閉めた。

今日は隣の倉庫が開いていて二、三人の男が働いている。玲子が男たちにオリエンタル・バザールのことを訊ねてみた。

「さあ、時々、人が出入りをしているようだが……」

その程度の認識しかないという。

もう一度、彰一はオリエンタル・バザールのドアを開けてみた。相変らず応答はない。

薄暗い中に目をこらしてみると、成程、オリエンタル・バザールと称するだけあって、正面のところに仏像らしいものがおいてある。

あとはどうやら東洋風の家具であった。暗さに目が馴れてくると、そのむこうにもう一つのドアがあって、半開きになっているのがわかった。そのドアの下の部分に視線が行って、彰一は息を呑んだ。

人間の足のようなものが、ドアの間から突き出ている。

反射的に、彰一は家の中に入って、電気のスイッチを探した。

店の中を、電灯の光が照らし出した。奥の部屋との境目のドアからはみ出しているのは、まさしく人間の足であった。黒い靴に赤い靴下、黒いズボンの裾。

そっちへ近づいて、彰一は血の匂いに気がついた。

ドアのむこうにぶっ倒れている男の胸には刃物が突きささっていた。それとは別に、男は頭からも血を流している。

でっぷりした、その男の死体を、彰一は直感で、楊子春ではないかと思った。

三

三好浩子、いや、今は旧姓に戻った有沢浩子が、和気良太からの電話を受けたのは、七月三日の午後であった。

「今、浅草の雷門の前にいるんです。もし、お目にかかれたらと思って……」

すぐ行きますと浩子は返事をして、家を出た。

有沢家から観音様までは、歩いても二十分ばかりだが、浩子はタクシーを拾った。

和気良太は相変らず、まっ黒に陽に焼けていた。傍に立っているカシムと変らない顔色である。

「カシムが日本へ来たので、僕も東京へ出て来たんです。東京見物に浅草へ来たんですが、浩子さんのお宅がこっちだと気がついたので……」

日本へ帰って来てから、名古屋の彼のアパートへスリランカで厄介をかけたことへの礼状は出しておいたが、彼に会うのは、スリランカ以来であった。

「ごめんなさい。名古屋まで御礼やら御報告やらに行きたかったんですけれど、いろいろとありまして……」

カシムにも挨拶をした。このシンハリ人は、如何にも人のいい表情で、浩子のさし出した手へ遠慮がちな握手をして再会の喜びを表現した。

「彼は、スリランカの旅行社とガイドの契約をしているんです。それで、今度、ランカ航空が日本へ乗り入れたので、招待されて日本観光にやって来たわけです」

仲見世を通って、観音様におまいりし、ついでに聖天様へ案内した。

「おぼえていらっしゃる。聖天様の元祖がガネーシャだと教えて下さったこと」

良太が優しい微笑で、浩子をみつめた。

「忘れるものですか。キャンディでガネーシャの像をあなたが買った時でしょう」

「あの神像を、失くしてしまいましたの」

車のトランクに入れておいたのが、紛失していたことを話すと、良太は眉をひそめた。

「あれは、けっこういい値で売れるから、通りすがりの人間が盗んで行ったのかも知れませんね」

それにしては、トランクがこじあけられた形跡もなかったのだが、浩子はそのことに触れなかった。

「折角、祖母にみせて、びっくりさせようと思っていたのに、がっかりですわ」

「おばあさん、ガネーシャに興味がおありなんですか」

「いいえ、聖天様を信心しているんです。あんな象の化けものが、聖天様の元祖だって知ったら、仰天すると思って……」

「象の化けものはひどいな。ヒンズー教の信者がきいたら、怒りますよ」

「カシムさんはヒンズー教……」

「いや、彼は敬虔な仏教徒です」

昼食はすんでいるという二人を、浩子は静かな喫茶店につれて行った。

「ここの若旦那は、兄と小学校の同級生なの」

「お兄さん、お元気ですか」

スリランカで、浩子が紹介したから、和気良太は彰一の職業を知っている。

「先月、ニューヨークへ行きましたの」

「お仕事ですか」

「プライベートですけれど、つまりは私のためなんです」

紅茶とケーキを注文した。カシムは珍らしそうに店内を見廻している。

「あの時、キャンディの町で、殺人事件がありましたでしょう」

「ええ、中国人が殺されたとかいう……」

「実は、その人のことをクィーンズ・ホテルに泊っていた静岡の坊さんのグループが、主人に、日本人ではないかとおっしゃってみえたんです」

そのグループの中に楊子春はいた。

「あたしはてっきり日本からの観光団のお一人と思っていたのですけれど」

楊子春がそうではなくて、一人だけハバラナ・ヴィレッジに泊っていたことを、浩子は細かく説明した。

「その人のことを、兄に話しましたら、なにか気になったようで、フロントで調べたんです。そしたら、ニューヨークから来た中国人だとわかって……」

「それだけでニューヨークまで行かれたんですか」

「兄は、なにか、彼に関して可笑しい点をみつけたんだと思います。あたしには、話してくれませんでしたけれど……」

「そいつにお会いになったんですか」

「殺されていたそうです」

和気良太が飲みかけの紅茶茶碗を受け皿へ戻した。

「まさか……」

「本当なのよ。おまけに、兄が死体を発見する前日、その家を訪ねた時、スリランカ風の服を着た女性がいたんですって」

日本語のわからないカシムがケーキを食べるのに夢中になっているのを幸い、浩子は兄から訊いた限りを良太に話した。

小出玲子が尾行した、そのスリランカ風俗の女はブルックリン橋を渡ってブルックリン・ハイツのアパートへ帰って行った。

「でも、死体が発見されてから、ニューヨーク市警が調べてみると、そのアパートの部屋は楊子春という人が一人暮しだったそうで、近所の人も、そんな女性はみたこともないって……」

「店員じゃなかったんですか」

「オリエンタル・バザールには店員は一人もいなかったそうなのよ」

「なんです、オリエンタル・バザールって」

「楊子春という人が社長なの。東洋の骨董品を売る店ってことですけど、実際にはろくな品物もおいてなくて、商売をしていたというのは疑わしいって、兄はいってましたわ」

「スリランカへ、商売の買いつけに来たんでもないんですか」

「その点は、わかりませんけど……」

「犯人はどうなんです」

「検挙されれば、ニューヨーク市警から連絡があることになっているそうですけれど……」

「捕らないんだな」

良太が嘆息をついた。

「素人には、なにがなんだかわからないけれども、早く和彦さんを殺した犯人が検挙されて、事件が解決するといいですね」

「和気さんは、主人が死んだこと、他殺というふうにお考えになりますの」

良太が不思議そうに浩子をみた。

「自殺だと思うんですか」

「いいえ、決して……」

「他殺ですよ、あれは……」

強い声であった。

「誰が、どんなことをいってるのかわかりませんがね。あれは自殺なんかじゃありませんよ」

もしも、自殺なら、なんのためにポロンナルワまで行ったのかと、良太はいった。

「死場所なら、ハバラナ周辺だって、沢山あるでしょう。湖へとび込むなり、ハバラナからポロンナルワへ行く途中に、どのくらい沢山の貯水用の池があると思いますか。なにもポロンナルワまで行く必要はない。もしも、考えるために一夜、どこかでというなら、シギリヤにもホテルがある。トリンコマリーだって、その手前にだって、泊れる場所があるんです」

「ポロンナルワへ行ったのは、なにか意味があるとおっしゃるのね」

「僕は、そうじゃないかと思っています」

不意に、喫茶店の入口のほうから聞きおぼえのある声がした。

「妹が来てるって。そりゃまずいな」

浩子がそっちへ顔をむけると、彰一はいささか照れくさそうな表情で妹へ手をあげた。

女連れである。

「お兄さん、和気さんとカシムさんよ」

浩子がいうまでもなく、彰一は妹の同伴者に気づいていたようであった。

「その節は失礼しました。大変、御迷惑をおかけして……」

「いや、なんのお役にも立ちませんで……」

立ち上って良太が頭を下げた。

「カシムがランカ航空の招待で来日したので、東京見物をつき合っています」

「浅草なら、妹にまかせるといいですよ。旨い店をよく知っていますから……」

男達の挨拶の間に、浩子は兄の伴れの女性に会釈をした。彼女も優雅な物腰でお辞儀をする。

「それでは、失礼します」

彰一は、テーブルの傍を離れる時に、そっと妹を呼んだ。

良太にはみえないところで一万円札を何枚か浩子の手に握らせた。

「あちらの御都合がよかったら、夕食に御案内しなさい。兄さんの知ってる店なら、つけにしてかまわないよ」

「そうします」

「本当なら、兄さんが同席するべきなんだが、佐知子さんと仕事がらみの話があるのでね」

浩子がみていると、彰一は待っていた佐知子をうながしてこの店の二階へ上って行った。

「まずかったんじゃないのかな」

席へ戻ると良太が苦笑しながらいった。

「僕らと鉢合せして……」

彰一が女連れだったことである。

「あの方は、公認なの。兄さんの恋人。あたしの事件がなければ、とっくに婚約してるところだったのよ」

妹が未亡人になったのに、自分が婚約でもないという兄の主張で、結納が秋に延期されている。

「すてきな女性だな」

「婦人警官にみえる」

「嘘だろう」

「本当よ。兄さんと同じ国際刑事課に所属してるの。小出佐知子さんといってね。あちらのお姉さんも婦人警官だったんだけど、今はお聟さんをもらってワシントンにいるわ」

「人はみかけによらないな」

どちらからともなく、店を出た。

「カシムが二階建のバスに乗りたがっているんだ」

近頃の浅草名物であった。二階席は満員だが、一階はがらがらである。カシムを二階へやって、良太と浩子は一階席に並んでかけた。

「和気さん、夏は御旅行……」

「今のところ、ジャマイカのほうへ行く予定なんだ」

長い間、植民地として支配されて来た民族の文化を調査対象にしているという。

「たとえば、スリランカのシンハリ人の文化のようにね」

「そういう国は沢山あるでしょう」

東南アジアの島々もそうなら、インドもビルマもアフリカも。

「大西洋の小さい島も、カリブ海も、メキシコも南米も……」

「きりがないんだ」

良太が笑い出した。

「だから、俺がやっているのは、それらのごく一部……」

「お金がかかる研究ね」

「親父が貸ビルをいくつか遺してくれたんだ。その家賃をもっぱら、研究費にあてているよ」

「いい御身分だわ」

「そのかわり、けちけち旅行さ」

「それでも、羨（うらや）ましいわ」

「君は、なにをしているの」

「父が弁護士なの。けっこう大きな事務所をかまえて仕事してるので、そこを手伝って、おこづかいをもらっているわ」

「それこそ、いい身分じゃないか」

夕方になって、良太は浩子に別れを告げた。

「カシムがインド料理しか食べないんだ。それもスリランカのようなひどい奴でね」

五反田のほうに店があるので、これから連れて行くといった。

「君を誘いたいんだが、他にスリランカから来た連中も来るし、わざわざ食べに行くほどの店でもないから……」

「兄が、おこづかいをくれたのよ」

「それは、この次におごってもらうよ」

ジャマイカから帰ったら、連絡するといった。

「今日は天気がよくて助かった」

名古屋は連日、雨らしい。東京も梅雨（つゆ）の間の、ちょっとした晴れ間である。

地下鉄の駅まで来て、良太は足を止めた。

「話そうか話すまいかと迷ったんだが、やっぱり、話しておくよ」

ハバラナ・ヴィレッジに着いた夕方のことだといった。

「君は御主人とチェックインしてコテージへ行った。僕らはコテージへ行く前に、フロントの横のバアで、ビールを飲んでいた」

夕食の前の一杯のつもりだったが、

「気がつくと、フロントのむこうに、御主人が戻って来ていたんだ」

三好和彦は女性と立ち話をしていた。

「女性のほうが、僕らに背をむけているので顔はみえなかったが、シンハリ人のような服装だった」

青い上着と細い縞柄の腰巻にサンダルをはいていたと良太はいった。

「御主人が、その女になにかを渡したんだ。それが、あとになって考えると、車のキイじゃなかったかと思う」

「車のキイですって……」

エンジントラブルを起して、ハバラナの手前で路上に放置して来た車である。

車のキイがあれば、当然、車のトランクも開けられる。

「君が、車のトランクの中に入れておいたガネーシャの像が紛失したといっただろう」

「その人、ハバラナ・ヴィレッジに泊っていたのかしら」

「そうじゃないと思う。御主人と別れて、すぐにホテルの外へ出て行ったようだったし」

「その人が、主人の恋人かしら」

思わず呟きが出た。

キャンディの植物園と、ハバラナ・ヴィレッジに到着した時と、二度、三好和彦は妻の知らない誰かをみて、表情を変えた。

殊にハバラナ・ヴィレッジでは一度、コテージの部屋へ入って、浩子にバスルームの仕度をさせておいて、どこかへ行ったきり、小一時間も戻って来なかった。

「恋人っていうような女じゃなかったよ」

良太が慌てていった。

「実をいうと、その女がホテルを出て行く時に、ちらと顔をみたんだ。君の御主人が恋人にするような女じゃなかった」

カシムが時計をみて、良太をうながし、良太は浩子に頭を下げた。

「それじゃ、又」

「ジャマイカからのお帰りを待っています」

大川からの風が、七月にしては涼しすぎる夜であった。

帰宅してみると、兄はまだ帰っていなかった。

夕食の仕度は母と祖母の手で出来上っている。

「もうすぐ、お父様がお帰りになるから」

母の声にうなずいて、二階の自分の部屋へ上った。

娘時代に使っていたこの部屋を、両親は娘が結婚したあとも、そのままにしておいてくれた。
結局、娘は僅か数ヵ月で、実家へ戻って来た。

本棚から浩子が取り出したのはスリランカの写真集であった。結婚前に、夫の赴任先と知って買ったものである。

何故、三好和彦がポロンナルワへ行ったのだろうという、和気良太の言葉が、浩子の胸の中にこびりついていた。

たしかに、自殺するためなら、なにもポロンナルワまで行くことはない。三好和彦がポロンナルワのホテルまで行って、殺されたということは、それだけの理由があってに違いなかった。

ポロンナルワはスリランカの古都であった。

スリランカを支配したシンハラ王朝の最初の都アヌラーダプラは紀元前四世紀頃に建設されたといわれているが、その後、南インドからのタミール人の侵攻を受け、八世紀以降は、それより南のポロンナルワに新しい都を築き、タミール人の侵入が激しくなった時の避難所にしていたのが、遂に十一世紀からはポロンナルワが正式のシンハラ王朝の首都となった。

十二世紀にはパラークラマ・バーフ一世王によってポロンナルワはすばらしい宮殿や寺院、僧院の建ち並ぶ華やかな都になったが、十三世紀には再びタミール人の南下によって放棄され、以来、十九世紀初頭まで密林の中に埋もれていた。

浩子が見たポロンナルワは、遺跡であった。

ジャングルの中を抜けて行くと、突然、宮殿の廃墟が出現した。

煉瓦造りの王宮の壁や石の基壇や、象や虎や人間などの浮き彫りが広々とした林の中に点在している。

寺院の跡には巨大な仏像が壁画に囲まれて居り、守護神を刻んだ石柱があるかと思うと、まるで蓮の茎を連想されるような、くねくねとまがった石柱があたり一面に建っている奇観にぶつかった。

三好和彦が浮んだのは、この遺跡の中心に古都の時代から築かれた灌漑用の人造湖だったから、浩子は事件の間、否応なしに遺跡の中を通らねばならなかったし、そのあと、兄の彰一とポロンナルワを訪ねた時も、この見事な石の建造物に対面したわけであった。

しかし、ポロンナルワには遺跡の外に、なにもなかった。町らしい町もなければ、観光施設もない。

和彦が泊ったホテルにしたところで、マッチ箱のような小さなもので、かつてイギリスのエリザベス女王がスリランカを訪問された折の仮の宿泊所として建設されたものであるという。町がないのだから、そこに住む人も極めて少数である。第一、人家は遺跡の近くには、まるでなかった。

そんなところへ、何故、和彦は出かけて行ったのだろう。誰かに呼び出されたとしたら、なんのために。

そう考えてくると、浩子はどうしても和彦の背後に女の影をみてしまう。

現に、今日、良太はハバラナ・ヴィレッジで和彦がシンハリ人らしい女と話をして車のキイまで渡しているのを目撃したと伝えてくれた。

夫に結婚前から女がいて、その女が自分を裏切って結婚した和彦を怨んで、謀殺したと考えるのが、単純ではあるが、一番、筋が通っているような気がする。

階段を上ってくる足音がした。

「浩子、入ってもいいか」

彰一は、妹の返事と同時にドアを開けた。

「佐知子さんが、仕事でニューヨークへ行くことになったんだ。むこうで、姉さんの玲子さんに会うから、なにか、土産物をことづけたいんだが……」

この前、ニューヨークへ行った時、厄介をかけた返礼のつもりである。

「それと、面白いニュースが入ったんだよ」

チャイナタウンの近くに店を持っていた楊子春に関してだが、

「あの時、あの店にいたスリランカの女が、ニューヨークを歩いているのを、玲子さんがみつけたそうだ」

浩子に向い合った彰一の眼の中に、明らかな興奮が光っていた。

四

七月十五日に、有沢浩子は両親と共に青山の三好家へ、亡夫の新盆の法要のために出かけて行った。

三好和彦がスリランカで客死して、未亡人になった浩子は亡夫の四十九日が終ってから、三好家の強い勧めもあって、実家の籍へ戻り、旧姓の有沢になっていたが、せめて法事ぐらいは出席させてもらいたいと願い、三好家のほうでも、

「浩子さんが再婚なさるまでは、よろしかったらどうぞ、お出かけ下さい」

ということであった。

で、この新盆にも、三好家の家族のつもりで出席したのだが、舅はともかく、姑の香子の態度は、ひどくよそよそしいものであった。

内輪の法要ということだったが、それでも親類やら知人やらの参会者があって、浩子がそうした人々に茶を運んだり、水菓子を勧めたりして台所にも顔を出すと、

「浩子さんは、お客様なのですから、どうぞ、おすわりになっていらして下さいな」

言葉は柔かいが、ぴっしゃりと拒絶されてしまう。浩子の両親は典型的な下町の人間だから、娘が客間のすみでちぢこまっていると、

「なにを、ぼんやりしているの。お台所のお手伝いをしなさい」

と気を使うし、浩子は座敷と台所のどちらにも居たたまれず、廊下をうろうろして時間をつぶす有様であった。

「浩子さん、お久しぶりです」

声をかけて、玄関から上って来たのは、高木保雄であった。

白麻の背広の上下に、ダークグレイのネクタイという気のきいた恰好は、如何にも暑い国から戻って来た外交官という印象で、端整な顔には汗もかいていない。スリランカの日本大使館では、三好和彦の上司に当った。

「ちょうど、こっちに用事があって帰国していまして、新盆なので、おまいりさせて頂こうと思ってやって来ました」

浩子が丁重に挨拶をしていると、ちょうど出て来た姑の香子が、

「まあ高木さん、よく来て下さいました。さ、どうぞ、こちらへ」

と浩子を無視するように、座敷へ拉致して行った。

僧侶が到着して、二十分ばかりで法事が済むと近くの中華料理店で少し早めの夕食の用意があるということだったが、

「うちは失礼しましょう」

最初からそのつもりの有沢家では、母が浩子にささやき、父の俊明がその旨を三好家の両親に断って、早々に退去した。

娘のかつての婚家の態度が、決していいものではないのを、流石に両親も気づいている。

三好家は入り組んだ路地の奥にあるので、地下鉄に乗るにしても、タクシーを拾うにしても、青山通りまで出なければならない。

三人が無言で歩いていると、背後から靴音が近づいて来て、浩子がふり返ってみると、高木保雄であった。

「もう、お帰りですか」

　改めてお詣りに来てくれたことへの礼をいい、並んで再び、歩き出すと、高木はためらいがちに、浩子に話があるといい出した。

「実はインドの大使館に勤務している岡本という者から、和彦君の遺品をことづかっていまして、それをお渡ししたいのですが、ホテルへおいて来てしまいましたので……」

　俊明がすぐにいった。

「それでは、私たちは先に帰るから、高木さんのお供をして、頂いて来なさい」

　地下鉄の駅へ下りて行く両親を見送ると、高木はタクシーに手を上げた。

「ホテルまで来て下さいますか」

「私は、どこでも……」

　高木が運転手に指定したのは、赤坂であった。

「どうも、東京は勝手がわからなくて……」

「高木さんは名古屋でしたわね」

「両親は今、名古屋に住んでいますが、本当の出身地は浜松のほうなんですよ」

　急に帰国したのは、浜松にいる伯父が病死したためだといった。

「元外交官でして、僕が外務省へ入ったのも、その伯父の影響でしてね」

　三年前にリタイヤして、故郷で暮していたが、つい二ヵ月ばかり前に胃の手術をして、開けてみたら癌だったという。

「まだ六十代だったんですが、これも寿命で仕方がありません」

赤坂のホテルへ着くと、高木は浩子をティルームへ案内して、自分は部屋へ和彦の遺品を取りに行った。

彼が手に持って来たのは、かなり分厚い茶封筒である。開けてみると、二百五十枚ばかりの原稿で「宝石物語」と表題がついている。署名は三好和彦。几帳面なペン字は、見おぼえのある夫のものであった。

「こんなものを主人が書いていたんでしょうか」

ざっとみたところでは、さまざまの宝石にまつわる伝説や物語を集めたもので、ところどころにその宝石の産地や値打に関する事典風な注釈もついている。

「インドにいた時分に書いたらしいんです。たまたま、これを和彦君からあずかった岡本というのは、兄貴が東京の大手の出版社で働いているものですから、和彦君がみてもらって出版出来ないかどうか訊いてもらいたいと依頼しておいたんですね」

「駄目だったんですか」

素人の原稿のことである。

「中途半端ということで、返されて来たのを、岡本君が渡しそびれていたらしいんです」

三好家へ持って行ってもよかったのだが、

「まあ、奥さんにお渡しするのが筋だし、なんだったら、浩子さんから三好家へお返し下さってもけっこうです」

高木の心づかいに、浩子は頭を下げた。

「申しわけありません。私、気持の上では、まだ三好和彦の妻のつもりで居りますけれども、籍を抜きましたので……」

高木がいたわりのある微笑をむけた。

「それは当然でしょう。結婚なさって何ヵ月でもないんだし、お子さんもないことだから……」

「三好の両親のほうの勧めに従って、四十九日が過ぎて実家へ戻りましたんですけれど、少し、早かったように思います。あちらの両親のお気持を考えますと……」

口では離籍をうながしても、嫁がその通りに去ってしまうと、人情としては寂しくもあり、冷たく感じられるものかも知れないと浩子はいった。

「難かしいものですね」

新しい戸籍法では、結婚した男女はどちらの姓を名乗ってもよいというのが建前だが、一人娘のような理由でもない限り、まず、男の姓を名乗るのが常識である。

「たかが、苗字のことといってしまえば、それまでですが、人間というのは厄介なものでして、スリランカでもいろいろなことがいわれていますよ」

結婚には、まずおたがいの身分が大きくものをいい、それに人種問題がからんだりする。

「どうも、生活が貧しいと、女のほうが結婚難らしくて、スリランカの新聞には、よく花婿募集の広告が出ます。家つき、車つき、持参金つきでしてね。そのかわり、誰でもいいというわけには行きません」

「そういえば、スリランカの坊さんは妻帯出来ないのでしょう」

柿色の衣を、赤銅色の肌にまとって、炎天下を歩いていたスリランカの僧たちの姿がなつかしかった。ほんの僅かの月日をそこで暮したただけなのに、そして、必ずしも思い出は楽しいとはいえなかったのに、眩しいばかりの青葉の中からこぼれ落ちる陽の光が、今も心の深いところにこびりついて離れない。

「スリランカは小乗仏教ですから、日本の僧侶のようなわけには行きませんよ。日本じゃ俗人同様、いや、それ以上の坊さんもいますからね」

それで高木保雄は思い出したらしい。

「伯父の法要をとりしきった住職からきいた話なんですが、大変なやりての坊さんが外国へ出かけて行方不明になってるそうですよ」

「外国ってスリランカですか」

反射的に浩子がいい、高木が大きく手を振った。

「いやいや、東南アジアです。バンコクへ行くといって出かけたそうですが、それきり帰って来なくて、もう四、五ヵ月になる。勿論、捜索願いは出てるんですが、死体が出たわけでもないので、案外、好きな女とどこかで勝手なことをやっているんじゃないかという噂もあるんです」

「浜松の方ですか」

「いや、静岡だそうですよ」

「静岡の坊さんですか」

その時の会話は、それまでであった。

高木と別れて、赤坂見付まで歩きながら、浩子は自分の胸の中で、音を立てはじめたものを、つとめて否定していた。

静岡の坊さんときいただけで、三好和彦が変死した最後の旅が思い出される。

キャンディのクィーンズ・ホテルにいたのは静岡の坊さんばかりのツアーであった。

ホテルのロビイで、前夜、近くのアーケードで殺害された男を、日本人ではないかと三好和彦に訴えたのだが、調べてみると殺されたのはバンコクから商用で来ていた華僑であった。

その静岡の坊さんグループとはシギリヤロックでも再会した。

少くとも、あのグループはキャンディからシギリヤへのコースを、浩子たちと前後して移動したものである。

そのあたりを、あのグループの誰かにくわしく訊いてみたい気がした。坊さんたちが、なにかをみていないか、なにか気づいたことはなかったものか。

あの坊さんグループは、ツアーを主催した旅行社の団体バッジを胸につけていたのを、浩子はおぼえている。その旅行社を訪ねれば、あのツアーに参加した坊さんの住所を教えてくれるかも知れない。素人の浩子には教えなくとも、警察官である兄の名前を使えば、或いは内緒で聞き出せる可能性がある。

が、どう考えても徒労な気がした。兄にいっても、一笑に付されるだけである。

それにしても、今、耳にしたばかりの高木の話に、浩子はこだわった。

単に、静岡の坊さんといっても、静岡県内にはどれだけの数の坊さんがいるのか、浩子には見当もつかない。

その中には外国旅行の好きな坊さんも多数いるだろうし、スリランカへ行く人もあれば、バンコクへ出かける人もあろう。

静岡の坊さんときいただけで、自分のかかわり合った坊さんグループを連想するのは愚の骨頂である。

浅草の家へ帰るまでに、何度も自分にいいきかせ、納得した筈なのに、結局、その夜、浩子は赤坂のホテルへ電話を入れて、浜松の高木保雄の菩提寺名を訊ねていた。

彼が伯父の法要で出かけた寺である。

その寺は浜名湖の奥のほうにあった。

臨済宗の末寺で千光寺という。

五

浩子は両親に奥浜名へ友人と遊びに行くと嘘をついた。幸い、その附近には有名な古刹もあるし、観光に行くといっても可笑しくはない。

早朝に家を出たのは、日帰りのつもりだったからで、新幹線でまっしぐらに浜松へ向った。

東海地方は梅雨が上ったばかりで、よく晴れた空に夏の雲が湧いている。

駅前のタクシーで訊いてみると、若い運転手はちょっと首をひねったが、やはり客待ちの別の運転手に訊いて、すぐ合点して戻ってきた。

「三ケ日のほうだ」

そういわれても、浩子には見当がつかないが、車は威勢よく走り出して、やがて浜名湖がみえてくる。

湖面にはヨットが走っていたが、水泳場のほうは、それほどの人出ではない。まだ、夏休みには心もち早いということだろう。

千光寺はかなり大きな寺であった。竹林を背にして本堂、方丈と続いている。

住職は、本堂で檀家らしい老人と話をしていたが、浩子が高木家の名前を出して、バンコクで行方不明になった静岡の坊さんのことを聞いて来たというと、興味を持ったようであった。

「あなた、なんで、そんなことを訊きに来なすった」

予期した問いであったので、浩子は考えて来た答えを、なるべく言葉少なに喋った。

「私の知人が外務省関係の仕事をして、バンコクに居りますので、高木さんから、もし、なにか手がかりがあったらといわれまして……」

曖昧な返事だったが、住職は高木保雄が外交官だと知っているので、ともかくもそっちの筋だと合点してくれたようである。

「静岡の市内にある竜明寺という寺の住職でしてね。名前は森田光照といいます。年は五十二か、三か、そんなものだったと思いますよ」

檀家の人が方丈へ声をかけてくれたらしく、中年の女性が麦湯を運んで来た。

「バンコクへは、観光旅行でいらしたんですか」

新幹線の中で訊くことを整理して来たつもりだったが、素人の悲しさで、つい舌がこわばってしまう。しかし、住職は話好きのようであった。

「観光には違いないだろうが、家の者には商売もしてくるといったそうですよ」

「商売ですか」

僧侶が外国で商売をするという意味がわからなかった。

「どなたかに、法事を頼まれたとか」

住職が笑い出した。

「いや、あなた、それならいいのだが、森田といいますのはね、少々、僧侶にしては金儲けが熱心すぎる男でしてね。たしかに、この節は、寺といってもいろいろ金がかかるので、どこでも金集めには苦労していますが、彼はアルバイトのほうが盛んでしてね」

誰のこと、と傍(かたわら)から麦湯を運んで来た女が声をかけた。住職の娘のようである。

「静岡の、竜明寺……」

「ああ、あの人はやりすぎですよ。なんていったって根っからの商売人で、お金になることなら、なんでもしたから……」

不動産屋の真似事もするし、小料理屋まで人にやらせているという。

「バンコクへは、なんの御商売でいらしたんですか」

女が住職と顔を見合せた。

「それがよくわからないんですけどね。いつもは団体旅行について行くのに、バンコクへは一人で……むこうに知り合いがいるとかって……」

「知り合い……」

「外国で知り合った人らしいんですよ」

住職が娘のお喋りを補足した。

「外国人ですか」

「さあ、それはどうか。あなた、くわしいことを知りたいなら、直接、静岡へ行ってみなさい」

浩子はお辞儀をしてメモ帖を出した。もともと、ここでは静岡の寺の名前と住所を教えてもらうつもりであった。

「失礼ですが、こちらと森田さんとは、どのような御関係ですか」

「うちの孫と、森田の伜が、名古屋の大学で一緒なんですよ。まあ、同じ宗派だし、同じ県内で、以前から少々のつきあいはあったのですがね、子供の縁でいろいろと……」

待たせておいたタクシーで、浩子は浜松駅へひき返した。

少し遅くなった昼食は駅弁を買って新幹線の中でそそくさとすませた。とにかく、時間が惜しい。

静岡では千光寺の住職が教えてくれたようにバスで竜明寺へ向った。

気温が上って、バスの中は暑かった。駅前の商店街は大売り出しの旗が立ち、そのむこうにはデパートのビルがいくつも並んでいる。

竜明寺は、境内の広さも、本堂の立派さも、千光寺にひどく劣(おと)った。寺の格式も、おそらく下に違いない。住職が商売上手でもなければ、経営がむずかしそうな感じであった。

本堂には誰も居らず、そのむこうの庫裡(くり)へ行ってみると、三十がらみの女が開けっぱなしの座敷でテレビをみていた。

「奥さんは留守ですよ。名古屋の息子さんのところへ行ってます」

というところをみると、この寺の使用人とも思える。

無駄かと思いながら、浩子は東京駅で二つ買って来たクッキーの箱を一つ、手土産だといってさし出した。もう一つは、浜名湖の千光寺へおいて来た。

「こちらの御住職さんがバンコクで行方不明になられたってきいて来たんですが……」

おそるおそる切り出すと、

「あんた、週刊誌の人……」

「いえ、違います」

「その話なら、おきみさんがよく知ってるから、行ってみなさいよ」

青葉通りの近くにある紅屋という小料理屋の女主人だといった。

「もう、この時間だから、店にいますよ」

「おきみさんって、このお寺とはどのような……」

「ここの坊さんの二号だわよ」

クッキー一箱、損をしたような気持で駅前へ戻った。

交番で紅屋を訊き、商店街で果物を買った。

紅屋は雑居ビルの二階であった。

入口は格子で洒落た感じだが、準備中と書いた札の下ったむこうで、やや乱暴な人声がしている。

立ち聞きというわけではないが、そこに聞えてくる話の内容は、どうやら酒屋の勘定が滞っているらしい。

格子が開いて、ポロシャツの男が出て来た。足音荒く階段を下りて行く。

開いている戸から、ごく自然に浩子は会釈をして店へ入った。

女主人は正面のテーブルのところに突っ立って、こっちをみている。

「なあに、あんた」

浩子はいそいで果物の包を出した。

「はじめまして、私、実は浜松の千光寺さんから頼まれまして……」

便宜上、高木家を省略した。

知人がバンコクにいるので、行方不明になっている森田光照のことを調べてくれと依頼されて来たというと、女は投げやりな表情をした。

「どうせ、みつからないと思いますけどねえ」

今まで、三人も易者にみてもらったが、みんな、光照が死んでいるといったという。それでも、テーブルの前の椅子をひいてくれた。

「まあ、折角だから、藁にもすがる思いで、なんでもお話しますけどね」

浩子はそれとなく店の中を見廻した。たいして広くはないが、みたところ、女主人の他には誰もいない。浩子の視線に気がついたのか、煙草を口にくわえていた女がいった。

「お店は五時からなのよ、もう少しすると板さんだの、女の子が来るけど……」

「あなたがきみ子さんとおっしゃるんですね」

竜明寺の女はおきみさんと呼んでいた。

「ええ、林きみ子です」

百円ライターを鳴らして、煙草に火をつけた。

「早速ですけど、竜明寺の森田光照さんがバンコクへ発たれたのはいつでしょうか」

きみ子は、ちょっと待ってね、といい、カウンターのところからハンドバッグを取って来た。その中から大型の手帖を出したが、浩子への返事は手帖を開く前であった。

「三月の十九日よ。スリランカから帰って来て、ちょうど一週間目でね」

浩子は、あっと声を立てた。

「スリランカへいらしたんですか」

「そうよ。三月五日に発って十二日の朝に帰って来たの」

これは手帖を開いていった。

「それじゃ、キャンディへいらっしゃいましたか」

きみ子が手帖の間からパンフレットのようなものを出した。

「日程はこの通りよ」

旅行社が団体客に渡すスケジュール表であった。

表紙に「セイロン周遊バスの旅8」と書いてある。

数字の8は、八日間という意味のようであった。

「拝見します」

最初の二、三ページは旅行の心得やら、出発案内などで、そのあたりはすっとばして日程表の部分をめくった。

三月五日の十三時三十分に大韓航空で成田を出発し、ソウルで五時間ばかりの乗継時間を待って三月六日の午前一時二十分にスリランカのコロンボのバンダラナイケ空港に到着し、ペガサスリーフ・ホテルでその日の午前中を過し、午後二時に出発してキャンディへ向う。その夜の宿泊はキャンディのクィーンズ・ホテルであった。

翌三月七日は一日、キャンディ滞在で、仏歯寺（ぶっしじ）や植物園、象の水浴などを見物することになっていて、三月八日の朝、キャンディを出発、ダンブラを経てシギリヤ到着が夕方というスケジュールである。

浩子は体中が熱くなった。

三好和彦とバカンスを過すために、コロンボを発ったのは三月七日のことである。キャンディのクィーンズ・ホテルに一泊して、翌日の午後、ハバラナへ向った。

「あんた、どこかで会ったわね」

夢中で日程表を確認している浩子をじろじろみていたきみ子がいい出した。

「スリランカの旅行の時、あんた、キャンディのホテルにいたんじゃない。旦那さんと一緒に……」

もう間違いはなかった。

「あなたもいらしてたんですか、あのツアーに……」

「そうよ。光照に連れて行ってもらったんだけど、まあ、他の坊さん、みんな御本妻御同伴でね、肩身がせまかったわ」

カウンターの奥から紅茶の箱を取り出して来た。

「あの時、買って来た紅茶よ、入れようか」

気持が昂っているのを、浩子は抑えた。落ちついて、訊くべきことをしっかり訊いて行かねばならない。

「キャンディで宝石店へいらっしゃいませんでしたか」

クィーンズ・ホテルのロビイで昨夜殺された男が日本人ではないかと考えた静岡の坊さんグループの理由は、その前日、宝石店でその男に通訳をしてもらったからであった。

つまり、殺された華僑の陳文威は英語の他に日本語も話せたのだ。

「行きましたよ」

きみ子の返事は、はっきりしていた。

「ガイドが車で連れて行ってくれたのね。そんな遠くじゃなかったけど……でも、結局、そこでは買わない人が多くて、自由行動になってからホテルの近くの大きな宝石店へ何人かで行ったわけよ」

「うまく買い物がお出来になりました」

「気に入ったのがあったのね。猫目石(ねこめいし)、ああ、これよ」

右手を突き出した。薬指に直径七ミリぐらいの猫目石が光っている。

「最初、高いことといってたんだけど、光照がね、あの国は値切るのが当り前なんだっていって、ディスカウント、ディスカウントってくどいたの」

「英語、お上手なんですか」

「全然よ、みんな、だから紙の上に数字を書いて交渉したの」

商談は厄介(やっかい)であった。値引の交渉だけならまだしも、指輪のサイズが合わないのを直してくれとか、

「人によっては、もっと他のをみせてくれとかいいたいんだけど、うまく通じなくてね。その時、店に来ていた人が、親切に通訳してくれてね、おかげでみんな目的が達せたってこと……」

浩子は自分の唇が乾いているのを知った。店の中はクーラーが効いている。暑さで咽喉(のど)が乾いたのではなかった。神経が極度に緊張しているせいである。

兄の彰一に一緒に来てもらえばよかったと思った。

「御存じですか。その、あなた方が通訳してもらった方が、その晩、殺されたの」

「知ってるわよ、あれは本当にびっくりしたわ。うちの人やなんかが、朝早くに、仏歯寺(ぶっしじ)へ行ってね、アーケードのところで、人が死んでるってきいて、みに行ったら、その人だったって……」

「あなたは、いらっしゃらなかったの」

「寝てたもの。第一、そんな人殺しなんて、みる気しないわよ」

「あの人、バンコクの華僑で陳さんっていう中国人だったんですよ」

「そうだってね、てっきり、日本人だと思ってたけれど……」

紅茶をきみ子は湯呑(ゆのみ)茶碗に注いだ。

「こんないれものでなんだけど、お砂糖はあるわよ」

お世辞にも上等とはいえない紅茶であった。

どこかの土産物売り場で買って来たのだろうが、いわゆる安物の粗悪品であった。

だが、きみ子はおいしそうに、それを飲んだ。

「森田さんがバンコクへいらしたのは、その、殺された陳さんとは関係がないんですか」

きみ子がきょとんとした。

「まさか。だって、あの人とは宝石店で通訳してもらっただけだわよ」

「それじゃ、バンコクへいらしたのは……」

「たのまれたのよ、その時、知り合った中国人に……」

「陳さんじゃない人ですか」

「ホテルで知り合ったの、肥(ふと)った大男でね。日本語が上手だし、坊主頭だから、てっきり日本人の御同業と思ったら、中国人でね」

　ホテルのロビイでむこうから話しかけて来て、

「同じ方角へ行くので、バスに乗せてってもらえないかって頼まれたのよ。勿論(もちろん)、運転手やガイドにはお礼をするし、迷惑はかけないっていうんでね」

　その時点では、まだ彼を日本人の坊さんと早合点していた。

「バスの中で、うちの人が隣にすわったのね。だって、皆さん夫婦づれか、家族連れでしょう。あたしは遠慮して、なるべくうちの人と離れてすわってたから……」

　いつの間にか、きみ子は森田光照をうちの人と呼んでいる。それだけ、浩子に気を許したということなのだろうか。

「うちの人が、いろいろ、話をしてて、やっと中国人ってわかって、二人で大笑いしたんだわ」

　彼は如才(じょさい)がなくて、みんなにも積み込んだビールやビーンズなどをくばったり、きんきらきんの象の民芸品などをくれたりしたという。

「その人、バテックの派手なシャツを着ていませんでしたか」

　浩子の問いに、きみ子は大きく縦に首をふった。

「そうなのよ。坊さんのくせに凄(すご)いシャツ着てると思ったら、中国人だものねえ」

「その人は、皆さんと同じホテルにお泊りにはならなかったでしょう」

　この日程表をみると、静岡の坊さんグループはシギリヤ・ロッジに宿泊している。

「ええ、ちがうホテルよ。あたしたちがホテルへ着いてから、運転手がその人だけ乗せて送って行ったわ」

「バンコクへいらしたのは、その人に……」

先ぐりをするまいと思いながら、浩子はつい、あせった。

「翌日の午後に、その人と主人が会ったの」

パンフレットを、浩子の手から取り上げて日程表をのぞいた。

「シギリヤへついたのが、三月八日で、その翌日に岩山へ上ったのね。それで、お昼すぎにホテルへ帰って来て食事をして、そしたら光照がちょっと人に会ってくるってロッジを出て行ったの。あたしは洗濯なんかして、ロッジの外で日光浴やってたわ。そしたら、光照が大きな荷物、っていっても、このくらいだけど……」

きみ子が手で示したのはおよそ三十センチばかりの大きさであった。

「なに買ったのっていったら、さっきの人に頼まれたっていうの。かさばるものだし、重そうだから、馬鹿らしいっていったら、これをバンコクへ持って行けば凄い商売になるんだって……」

「なんだったんです。その荷物……」

「象の顔した仏像よ、青銅で出来ているんだって……」

六

正面から強烈なパンチをくらったような衝撃を、浩子は新幹線の間中、抱え込んでいた。

静岡の竜明寺の住職である森田光照が、スリランカで、中国人、楊子春からあずかった品物は、まぎれもなくガネーシャであった。

ヒンズー教では、シバ神の子で智恵を司る神とされている。顔が象で、一本の牙と四本の手を持っている。

同じものを、浩子は三月八日の午前中にキャンディの土産物屋で買った。それは車のトランクに入れて、ハバラナへ向う途中エンジントラブルを起した車と共に路上へ置き去りにしてしまった。

そして、三月十日、三好和彦の死体が上ったポロンナルワの人工の湖畔にあるホテルの前においてあった、その車のトランクからは、ガネーシャの神像は何故か、消えていたのである。

森田光照がガネーシャの神像を派手なバテックを着ていた中国人、楊子春からあずかったのは三月九日の午後であった。

「ということは、楊子春がお前達の車のトランクから、その神像を取り出して、森田光照に渡したとも考えられるが、或いは全く別のガネーシャだったということもある」

浩子の報告を細かく聞いていた兄の彰一がメモを眺めながらいった。

「兄さんが調べたところでは、ガネーシャの青銅の神像というのは、スリランカの骨董屋や土産物屋で比較的、容易にみつかるそうだ」

どこにもここにも売っているわけではないが、その気になって探せば、手に入らないものでもない。

「問題なのは、楊子春からそのガネーシャをあずかってバンコクへ行った森田光照がそのまま、行方不明になっていることだな」

テーブルの上に広げた世界地図を彰一は眺めた。

「森田が、どうしてスリランカの帰りにバンコクへ寄らずに、改めて、日本から出直したか理由は訊いたか」

浩子がうなずいた。

スリランカはインド洋に浮ぶ小さな島であった。

バンコクはスリランカと日本のほぼ中間にある。いわば、帰り道であった。

「森田は団体客としてスリランカ旅行に参加したわけだから、最後まで団体行動をとらなければならない。しかし、それはあくまでも原則であって、例外が認められないことはないんだ」

旅行中に病気になったり、或いは留守宅に異変があったりして、グループをはずれて帰国しなければならない場合にはそのために必要とする経費、例えば、帰りの飛行機代などを別払いにすればいい。

「運賃やホテル代は、あらかじめ旅行代金として支払ってある筈で、大方はそうした場合、払い戻しがきかない。だから、帰りの費用だけ二重払いになって損をすることになるが、森田がいったように、ガネーシャをバンコクまで持って行けば、大層な商売になるのなら、たかが飛行機代ぐらい、けちることはないだろう」

「それは、あたしもすぐそう思ったの。でも、きみ子さんの話では、むこうさんが一度、日本へ帰って、二十日にバンコクへ持って来てくれといったそうなのよ」

「三月二十日か」

「ええ、だから、森田さんは三月十九日に日本を発って、バンコクへ向ったのよ」

「森田はいつから行方不明になっていたんだ」

「三月十九日にバンコクへ着いて、オリエンタルホテルへ一泊したところまでは、警察で調べてわかったんですって」

「二十日からだな」

楊子春と約束の日であった。

「楊とは、どこで会うことになっていたんだ」

「きみ子さんがきいたら、むこうさんがホテルへ連絡してくることになっていると、森田さんが……」

すると、オリエンタルホテルへ宿泊することも森田と楊の間で、とりきめてあったに違いない。

「そっちの件は、兄さんが調べてみる。待てよ、ちょっと可笑しくないか」

メモを丹念に読み返して、彰一がいい出した。

「森田はキャンディのホテルから楊と親しくなった。バスでは隣にすわっていた。が、その夜のホテルは別々だった」

浩子も自分のメモを読んだ。

「そうよ」

「翌日、午前中に森田はグループと一緒にシギリヤロックを観光に行った。あの岩山だね」

頂上へ行く途中の岩穴に、美しいシギリヤレディの壁画が遺されている。

「午後、ホテルへ帰って来て食事をして、一度、自分のロッジへ戻ってから、人に会うといって出て行った。帰って来た時にはガネーシャの神像を持っていた、間違いないか」

「ええ、その通りよ」

兄が、どこに不審を持ったのか、浩子にはわからなかった。

彰一が、ぽつんといった。

「人と会う約束は、いつ、したんだ」

「なんですって……」

「人と、森田がいったのは、多分、楊子春を指すのだろうが、彼がその日の午後、楊と会う約束はいつしたんだろうな」

「それは多分、車の中とか、ホテルで別れる時とか……」

「つまり、三月八日だな」

その点を、林きみ子に訊いてみてくれと彰一はいった。

「彼女はバスの中で、森田と別の席にすわっていたらしいが、そういう約束が出来たと森田から聞いているかどうか」

浩子は、静岡の小料理屋で、きみ子からもらった名刺を出した。

時計は九時半であった。まだ、店は閉まっていないだろうと思われた。

受話器を取ってダイヤルを廻していると、傍から彰一が低声でいった。

「林きみ子に、楊子春がニューヨークで殺されたという話をしたのか」

「いいそびれたのよ。だって、なんだか気の毒で……」

森田光照がバンコクへ訪ねて行った、その相手の楊子春がニューヨークで殺されているというのは、森田のために決していいニュースではなかった。

それでなくても、林きみ子は三人の易者から、森田光照の生存は不可能と宣告されているのだ。

「いわないほうがいいな。なにかで知れるのは止むを得ないが、今は、お前の口からいうなよ」

受話器の中に、昼間、聞いたのと同じ、しゃがれ声が響いて来た。

「もしもし、紅屋ですけど……」

「お仕事中、すみません。今日、お邪魔した有沢浩子ですが、少々、おうかがいしたいことがございます。今、おいそがしいようでしたら、御指定の時間に、改めておかけしますが……」

「それが暇なのよ、今夜も閑古鳥が鳴いたってわけ……」

きみ子の声は少し酔っていた。

「只今、うかがってもかまいませんか」

「ええ、どうぞ、なんです」

浩子は兄の疑問を丁寧に訊ねた。相手がぴんと来ないようなので、二度、くり返した。

「バスの中ですか。いいえ、そんな約束はしてなかったと思いますよ」

八日の夜、シギリヤ・ロッジの同じ部屋へ泊って、森田は林きみ子に、明日、楊子春と会う約束をしたというような話はしてなかったという返事であった。

受話器を彰一が取り上げた。

「失礼します。有沢浩子の兄ですが、二、三、質問をさせて下さい」

彰一の口調は、およそ、警察官らしくなかった。穏(おだ)やかで、ゆったりしている。

「林さんは、いつ、森田さんが楊さんと会う約束をしたと思われますか」

きみ子は、さあといったきり黙っているようであった。見当がつかないという感じである。

「それでは、シギリヤのホテルに到着されてから、翌日の午後までの間に、森田さんがグループ以外の人間と話をしているのをおみかけになりませんでしたか。或いは電話がかかって来たということは……」

ないと思いますがねえ、というのがきみ子の返事であった。

「失礼しました。それでは、もしも、なにか思い出されたことがありましたら、どんなことでもけっこうです。私どもに御連絡頂(いただ)けませんか。森田さんの消息を探る大事な手がかりになるかも知れませんので……」

有沢家の電話番号を教えて、受話器をおいた。

「楊子春は、三月九日の午後に、いきなり森田さんを訪ねて来たんじゃないの」

森田がシギリヤ・ロッジに泊っているのを、楊は知っているのだ。

「しかし、お前はきみ子さんから聞いて来たんだろう。森田が、人と会う約束があるといってロッジの部屋を出て行ったと」

「あれは、きみ子さんの思い違いで……」

「いや、そうじゃあるまい。いきなり楊が訪ねて来たのなら、ロッジにフロントから連絡の電話が入る筈だ。それで森田が出て行ったというなら話は別だが……」

「会う約束をいつ、したかっていうのは、大事なの」

「大事かも知れない、そうでもないかも。しかし、捜査というのは、自分の疑問を一つ一つ晴らして行くところから始まるんだよ」

一日の静岡旅行の収穫はかなりなものだと兄にいわれたが、浩子の日常は、その翌日から、又、平凡な連続になった。

大抵は、父の事務所へ出かけて、お茶くみや電話番をしている。

和気良太からの葉書が到着したのは七月二十日であった。

ジャマイカからで、絵葉書にはジャマイカの美しい風景が印刷されていた。

文面は如何にも和気良太らしかった。

「カリブの島を廻っています。のんびりしているようで、せっかちな旅、あまり収穫があるとも思えません。帰途、ニューヨークとボストンに立ち寄るつもりです。例の件でなにか役に立ちそうなことがありましたら、ニューヨークのヒルトンホテル気付で連絡を下さい。八月はじめにそっちへ行きます、良太」

男にしては几帳面すぎるほど正確な細字がぎっしりつまっている。

一枚の葉書の表からも裏からもカリブの風が吹いてくるようで、浩子は何度もその葉書を取り出して眺めた。

つくづく男は羨(うらやま)しいと思う。それも、目的を持って地球上を走り廻っている男が。

七月二十三日のことであった。

夕方、浩子は父の俊明と一緒に浅草の自宅へ帰って来た。

出迎えた母が、留守中の電話メモをみながらいった。

「浩子に電話があったわよ。林さんという女の人……」

服を着がえに二階へ上ろうとしていた浩子の足が止った。

「なんですって……」

「この前、訊かれたことで、思い当ることがあったとか、なんとか……」

「何時頃、電話があったの」

「お昼すぎかしら」

しまった、と思った。

林きみ子から電話があったら、すぐ事務所のほうへ知らせてくれと、母に頼んでおくべきだったと思う。

正直のところ、兄はああいったものの、きみ子のほうから電話があるとは夢にも思っていなかったのだ。

浩子は慌(あわ)てて手帖を出し、受話器にとびつくようにしてダイヤルを廻した。誰も出ない。

月曜日の午後七時であった。

小料理屋としては、もっともいそがしい時刻かも知れない。それにしても、電話に誰も出ないというのは可笑しかった。

受話器をおき、又、かけ直した。やっぱり、出ない。

七時から八時までの間に三度、かけた。

彰一が帰宅したのは八時十分すぎであった。

妹の話をきいて、今度は兄がかけた。同じことであった。

「お店、閉めたのかも知れないわ」

閑古鳥が鳴いているといったきみ子であった。浩子が訪ねた時には、酒屋の支払が滞(とどこお)っている有様だった。

パトロンだった森田光照が三月なかばから行方不明では、店が左前になるのも無理はないのかも知れない。

「自宅の住所とか、電話番号とかは聞いて来なかったのか」

「教えてくれなかったのよ」

店のマッチをもらって来たから、この前の電話がかけられたのであった。

「調べてみよう」

住所がわからず林きみ子とだけで、電話番号の問合せが可能かどうかわからなかった。

林きみ子が静岡市に住んでいるかどうか、保証の限りではない。

「竜明寺へかけて、きいてみようかしら」

「教えるかな」

「駄目で、もともとじゃない」

竜明寺の電話口には若い男が出た。林きみ子さんの自宅のほうの電話番号を、といいかけると、あなたはどなたですかと詰問された。

彰一が出た。

二言、三言、話し合っている中に、兄の口から、とんでもない言葉が出た。

「殺された……いつ」

浩子の心臓が音をたてて鳴りはじめた。

てきぱきと話をきいて、彰一は電話を切った。

「これから、静岡へ行ってくる」

「あたしも行くわ」

林きみ子が殺されたのかと訊いた。

「そうらしい。今、出たのは警官だよ」

その事件のために、竜明寺へ来ていたものだという。

兄妹は彰一の運転する車で西に向った。

静岡到着は十一時に近かったが、清水市の林きみ子のアパートには、まだ警官が残っていた。

「先程、東京から電話を入れた有沢ですが」

名刺の肩書に、警官は緊張した顔で、部屋の中にいる中年の刑事を案内して来た。

清水署の刑事で、荒木忠人という中肉中背の、刑事にしては小羊のような柔和な眼を持った男であった。

彰一が、ざっと話をして、ともかくも現場をみせてもらった。

玄関を入ったところが六畳の日本間で、その隣が洋風の寝室。ダブルベッドがおいてある。

ベッドの横に血痕があった。白い線が人の倒れた形を書いてある。

「あとで写真をお目にかけますが、被害者は湯上りという恰好で、タオルのガウンを着ています。兇器は発見されていませんが、登山用のナイフのようなもので、心臓部を何度も刺されています。犯人の遺留品らしいものは、なんにもありません。今のところ近所の人も、犯人らしい人間をみていません」

犯行時刻は、大体午後四時から六時ぐらいの間ではないかという。

「署へ戻れば、もっとくわしいデータが出ていると思いますが……」

アパートの部屋は、女の一人住いらしく小ざっぱりとしていた。

洋簞笥と和簞笥が一つずつ、壁ぎわには店へ着て行くつもりだったのか、絽の単衣がかかっている。

室内に物色された気配はなかった。

「ハンドバッグの中の財布には、一万円と少々。犯人が手をつけた様子はありません」

簞笥のひき出しの中の銀行預金の通帳もそのままであった。

「金めあての犯行ではなさそうで、痴情怨恨の線を洗うことになりますが……」

問題は、彼女のパトロンである竜明寺の住職が、バンコクで行方不明になっていることで、

「それと、この事件が結びつきますかどうか、です」

行きがかりで、彰一はこの、いささか朴訥(ぼくとつ)な雰囲気のある荒木忠人に、これまでの経過を説明し、なにか新しい発見があったら連絡してくれるように頼んで帰途についた。

東名高速道路を深夜のドライブである。

「きみ子さんは、うちへ電話をしてから殺されたのね」

母の英子が電話を受けたのが、昼すぎだという。

おそらく、アパートからの電話であったろうから、そのあと、きみ子はずっとあの部屋にいたのか、外出しているのか。

「死体の発見が、六時すぎだからな」

紅屋の板前が、いつまで経っても店へやって来ないきみ子をいぶかって、アパートへ電話をかけた。誰も出ないので、もうきみ子が店へむかったのかと思いながらも、念のためにアパートの管理人に電話をして、不在かどうかみてもらった。

「ここんとこ、店がうまく行ってないので、酒ばかり飲んで、やけくそになってましたから……」

万に一つも自殺などということがないとは限らないと板前は考えたようである。

管理人が部屋の鍵があいているのに気づき、部屋をのぞいてみて、死体を発見したのが午後六時二十分頃という。

「きみ子さん、思い当ることがあるっていってたそうだけど……」

森田と楊が、九日の午後、シギリヤ・ロッジで会うことを、いつ、約束したか、についてに違いなかった。

「まさか、きみ子さん、そのために殺されたんじゃないでしょうね」

おそるおそる、浩子は兄の横顔をのぞいたが、彰一は無言でハンドルを握っている。

兄も考えているのだと思い、浩子は暗い夜空へ目をやった。

窓から吹き込んでくる風が、それほど涼しく感じられない、夏の夜である。

荒木忠人から連絡があったのは、翌日のことで、電話口には彰一が出た。

「林きみ子の部屋に、旅行の時の写真を袋に入れたのがみつかったんですが、一袋分だけフィルムがないんです。それと、他の袋は全部三十六枚撮りのフィルムで、写真も三十六枚ずつ入っているんですが、フィルムのない袋のだけ三十一枚しか入っていません」

その写真は、どうやら、林きみ子がスリランカを旅行した時のもののようだといった。

第三章　ロングアイランドにて

一

八月なかばのニューヨークは、思いの外(ほか)に涼しかった。

摩天楼(まてんろう)をかすめて落ちてくる陽光は強烈であったが、ビルの蔭(かげ)はひんやりした空気が流れている。特に朝夕は、もう上着が欲しかった。

ニューヨーク・シティセンターに近いホテルを出て、和気良太(わけりょうた)が五番街の宝石店、ティファニィへ来たのは、そこに少々の買い物があったためである。

いかめしい象牙(ぞうげ)色の建物のドアを押すのは、いささか気遅(きおく)れがしたが、店内は案外に庶民的であった。

ジーンズにTシャツ、腰にセーターを巻いたような若者がショウケースを気軽くのぞき込んでいる。

もっとも、ティファニィが大衆化したのは、ここ数年のことであって、入口近くには二、三十ドルで買える銀のペンダント、それもティファニィ独特のハートやビーンズなどのデザインで若者に人気のある商品を並べ、そのあたりはいつも人だかりがしている。

良太は店内を横切って、奥のエレベーターに乗った。

一階は貴金属ばかりだが、二階、三階には銀製の食器や、陶器、日用品が並んでいる。

良太が行ったのは文具売り場であった。文具といっても、主としてレターペーパーや封筒で、この店では注文すると、その一つ一つに名前を入れてくれる。

五分ばかりで用事を終え、良太は再び一階へ下りた。

改めて奥のほうからショウケースをのぞいて行ったのは、もし、自分に買えるようなものがあれば、贈り物にしたい女性の顔が、彼の胸にあったからである。

流石(さすが)にその附近は高級品ばかりであった。ダイアモンドにサファイアをあしらったネックレスやブレスレット、大粒の真珠をダイアモンドが取り巻いているリング、珊瑚(さんご)と翡翠(ひすい)を大胆に使った流行の東洋風のペンダントなど、ティファニィならではの豪華なアクセサリィが飾られていた。値札は、外からは見えないようになっているが、店員を呼んで品物を取り出させれば、おそらく、最低でも五千ドルや一万ドルはするに違いない。

ふと、良太は誰かが自分を眺(なが)めているのに気がついた。

それとなく顔を上げてみると、ショウケースの斜(なな)め外側に、日本人の女性が立っていて良太と視線が合うと、軽く会釈(えしゃく)をした。

ベージュの麻のスーツに茶のハイヒール、薄い書類入れを小脇に抱(かか)えている。

どこかでみたようなと思い、良太はすぐ思い出した。

「たしか、浅草でお目にかかった……」

「小出佐知子でございます」

有沢浩子から兄の恋人だと紹介された女性であった。

「たしか、あの時、浩子さんと……」

「和気良太です。浩子さんとはスリランカで知り合いました」

「そのこと、彰一さんからうかがって居ります」

ニューヨークには、いつからと訊きながら良太に近づいた。なんという名の香水か、さわやかな匂いが、小出佐知子から漂ってくる。

「実は、その、僕は文化人類学を専攻していまして、その関係でジャマイカのほうを歩いて来たんです」

ニューヨークには昨日、着いたといった。

「今日はお買い物ですか」

小出佐知子はあくまでもにこやかであった。

「研究室の先輩が、この店のレターペーパーを欲しがっていまして、上で、それを注文して来たんです」

まさか、有沢浩子への贈り物を考えていたとは、その兄の恋人にいうわけにはいかない。

「小出さんは、バカンスですか」

夏休みのシーズンであった。

「私は研修で、こちらに参って居ります」

「研修……」

おうむ返しに訊いて、良太は彼女が婦人警官で、警察庁国際刑事課に所属していることを思い出した。

浩子の兄の有沢彰一と、同じ職場である。

小出佐知子が腕時計をみた。

「失礼します。姉と待ち合せて居りますので……」

きれいなお辞儀をして入口のほうへ歩いて行く。

ちょっと見送って、良太は軽く吐息を洩らした。

どうみても、婦人警官にはみえなかった。ひきしまったプロポーションにスーツがよく似合っている。脚の形が日本人ばなれをしているのもなかなか魅力的であった。

再び、ショウケースをのぞきながら行くと壁ぎわのガラス窓の中に並はずれて大きなダイアモンドが展示されていた。

ケースの下に説明書があって、一八七八年南アフリカのキンバリで産出した一二八・五一カラットの、いわゆるティファニィ・ダイアモンドと呼ばれるものであった。

やや黄色を帯びた表面は九十面にカットされて居り、その輝やきは、まさに絢爛豪華であった。

店内を一巡して、良太は外へ出た。

ティファニィの隣は、新しいビルが出来ていた。

五番街のもっとも新しい顔といわれているトランプ・タワーで、ここのオーナーはまだ三十代の百万長者としてしばしばニューヨークの話題になっている。

回転ドアの前には赤い羅紗(ラシャ)の服を着たドアマンが二人もいてものものしい感じだが、中へ入ってしまうと広いフロアの右側はパリの有名店シャルル・ジャルダン、突き当りの奥はファッショナブルな婦人服が陳列されている。

その手前には地下に通じる上下のエスカレーターがあった。地下一階から吹き抜けになっていて、上からのぞくとエスカレーターの下はビルの中の広場で、植込みや花壇もあり、壁面は滝のように水が流れ落ちている。

広場はティルームにもなっていた。

どのテーブルも満員なのは、今のところ、このビルがニューヨークの名所になっているからであろう。

テーブルの一つに、良太は先刻、別れた小出佐知子をみつけた。むこうは上から眺めている良太には気がついていない。

佐知子の前には、もう一人、若い女性が向い合ってビールを飲んでいた。二人とも、顔がどことなく似ている。

姉と待ち合せているといった佐知子であった。

姉妹でなにを話し込んでいるのか、額(ひたい)を寄せて、深刻な表情である。

良太は、ゆっくり、その場を離れた。

姉妹の対話の邪魔をする心算(つもり)はない。

二

小出佐知子は、姉の話を丹念にメモしていた。

「それじゃ、チャイナタウンのオリエンタル・バザールで、姉さんがみた女性は、ロングアイランドに住んでいるわけね」

妹の言葉に、玲子は大きくうなずいた。

「それを知ったのは、本当に偶然なのよ、まさか、あの人と二度も会うなんて……すっかりあきらめていたのに……」

妹の恋人である有沢彰一に協力して、ニューヨークのチャイナタウンに住んでいる楊子春を訪ねて行ったのは、アメリカ東部が急に夏らしくなった頃である。

チャイナタウンのはずれにあるオリエンタル・バザールという名前の骨董屋(こっとうや)を訪ねてみると、楊子春は留守とのことで、その時、店にいたスリランカ風の服装をした若い女を尾(つ)けて行った玲子はブルックリン橋を渡った先の高層アパートで、見事に彼女からまかれてしまった。

その上、翌日、もう一度、オリエンタル・バザールを訪ねてみると、楊子春は死体となって店の奥にころがっていて、昨日の女はそれっきり姿をみせない。

そうなってみると、彼女を逃がしてしまった玲子の責任は大きくて、

「仕方がないさ、あの時点では、よもや、楊子春が殺されているとは、夢にも思わなかったのだから……」

と彰一が慰めてくれても、元婦人警官の面目は丸つぶれで、やがて捜査が行きづまって彰一が帰国したあとも、暫（しばら）くの間、玲子はニューヨークをかけずり廻って、例のスリランカ風俗の女をみつけ出そうと死にもの狂いになっていた。

だが、ニューヨークは広く、人間がひしめいている。どう歩き廻ったところで、行きずりにあの女とすれ違うなどという幸運に恵まれるわけがなかった。

楊子春殺人事件にしても、ニューヨークの警察はとっくに手をひいてしまっている。

なにしろ一ヵ月の中に殺人が百七十七件、強盗が一万件などという数字が発表されているニューヨークのことであってみれば、被害者が外国人であることを含めて、迷宮入りの可能性が強い。

流石の玲子もあきらめざるを得なかった。

で、ワシントンへ帰っていたのだが、たまたま、彼女の夫の友人で、ニューヨーク支店勤務の中島文夫（なかじまふみお）がロングアイランドにバケイションハウスを買ったので、是非、遊びに来いと誘われて、夫婦そろって七月の末に、その招待を受けた。

ロングアイランドは、ここ数年、ニューヨークっ子の間に、急に人気の上ってきたリゾート地で、大西洋に細長く突き出した半島であった。

以前はニューヨークのクィーンズ区に隣接したナッソウ・カントリィの北部で、ロングアイランド海峡の入江に面しているオイスター・ベイとか、その南部のジョーンズ・ビーチなどが、夏場のリゾート地であったのが、更に足がのびて、半島の先端になるモントークが新しい脚光を浴びている。

中島文夫が別荘を買ったのも、そのモントークであった。

ペンシルバニア駅から出ているロングアイランド鉄道の終着駅である。

モントークの町は、おもちゃのように小さく、そこからモントークポイントにある灯台までは、ほぼ国立公園に指定されているのだが、大西洋に面した土地の一部が個人の所有地で、そこにいくつものリゾートマンションが建っている。

中島文夫は、その一つに部屋を買ったものだが、このあたりの古い建築を生かした屋根が素朴な、なかなか雰囲気のいいバケイションハウスであった。

「ここは、そんなこともないんだが、このずっと先に最近、建ったマンションは、ちょっとひどくて、水道の水に塩気があるというんだよ」

東京の下町っ子で、気さくな性格の中島が早速、玲子夫婦を釣りに誘いながら、話をした。

「飲んで、しょっぱいってほどのことじゃなかったから、住んだ連中も文句はいわなかったんだが、たまたま、モントークの消防署から、いざという場合の消火栓のテストに来て、水に塩分があるから消火器具が錆びる怖れがあるといい出して、今、大さわぎになっているよ」

非はそうした場所へマンションを建てて、高い代金で売ってしまった建主にあるのだが、アメリカの場合、訴訟になったら、買ったほうに勝ち目がなさそうだという。

着いた翌日に、玲子は中島夫人の薫とドライブで岬のほうへ出かけた。

灯台の近くから海辺へ下りて行く小道があって、そこを抜けると岩場の続く浜であった。

海上には、うすく霧が出ている。

「ここ、いつも、そうなのよ。晴れていれば、むこうに島影がみえるっていうけれど、何度来ても、見えたことがないの」

といって、曇り日ではなかった。岩場を歩く人々の上には、暑い夏の太陽がぎらぎらしている。

それなのに、海上はかすんで灰色にみえた。

「海だけ、ガスが上っているみたい」

それは、不気味な雰囲気であった。

「この辺は鰹がよく釣れるんですって。主人はモントークの友人と舟で出かけるんだけど、あたしは舟が苦手だから……」

ドライブの帰りにモントークのスーパーマーケットで夕食の買い物をした。

あの女は、そこにいた。

最初、玲子は自分の見間違いかと思った。

チャイナタウンのオリエンタル・バザールでは特徴のあるスリランカ風の服であった。

今日の彼女は白いランニングシャツにバテックの巻スカートであった。足にはゴム草履、手に麻袋のようなものを下げている。

「どうかしたの」

中島薫に声をかけられて、玲子はサラダドレッシングの説明書を熱心に読んでいる彼女を、そっと眼で示した。

「前にニューヨークで会った人に、よく似ているんだけど……」

薫はこともなげにいった。

「彼女、よく会うわよ、最初、日本人かと思って、声をかけたらベトナムの人だったの」

モントークに住んでいるといった。

「そこのガソリンスタンドの横を上って行った坂の上の家よ」

その家はスーパーマーケットの窓から屋根だけがみえた。小さな二階家で、かなり古い。

「むかしから、ここの人かしら」

「さあ、訊いてあげましょうか」

薫は顔見知りらしいスーパーの店員に、やがて買い物をすませて店を出て行く彼女の後姿を指して訊いていたが、

「シンシアさんっていうそうよ。昨年から、あそこに住んでいて、ご主人は船乗りで、ごく、たまにしか帰って来ないんですって」

普段は一人暮しだという。

玲子が窓からみていると、シンシアは買い物の入った袋を重そうに下げて、とぼとぼと坂道を上って行く。むこうは、玲子に気づいた様子ではなかった。

翌日、玲子は濃いサングラスをかけ、麦藁帽子をかぶって、シンシアの家の前を通ってみた。

彼女は狭い庭の畑でトマトをもいでいる。孤独ではあったが、のんびりした様子であった。

昨日のスーパーへ寄って、どうでもいいものを買って、もう一度、店員に訊いてみると、シンシアは殆んど家にいるが、時折は別荘の持ち主に頼まれて、掃除に行ったり、こまごました用事を足してアルバイトにしているようであった。

「生活は困っていませんよ。船乗りの御主人から金が銀行へ送って来るみたいで、月に一度か二度、銀行へとりに行っています」

たまに列車で出かけて行くこともあるが、

「ニューヨークまで、御主人が戻って来たが、すぐ、又、別の船に乗るので、会いに行ったとか……そんな話はききましたよ」

狭い町のスーパーマーケットの店員は、日本と同じようにこの町の住人についてくわしかった。念のため、訊いてみると、彼女の英会話はかなりなものだという。

もっとも、英語が話せなくては、このあたりで暮すのは不可能に違いなかった。

元婦人警官だけあって、玲子はロングアイランドに一週間滞在する中に、シンシアについて、さまざまの情報を入手した。

玲子を躍り上らせたのは、シンシアがニューヨークへ夫と対面するために出かけて行った時期が、ちょうど、有沢彰一と玲子が楊子春の事件でニューヨークに滞在していたのと一致した時であった。

「間違いはないのね」

姉の話に、小出佐知子は念を押した。

シンシアという女が、楊子春の店に居たのと同一人物なら、玲子の大手柄だが、さて、どうやって彼女から糸をたぐり出せるかが難問であった。

彼女が楊子春とのかかわり合いを否定してしまえば、それっきりである。

国際刑事課に籍のある小出佐知子にしても、アメリカでの捜査活動は許されていない。

「とにかく、彼と連絡をとって、相談するけれども、姉さんはこれからロングアイランドへ行くのでしょう」

七月のバカンスでロングアイランドが気に入った玲子の夫が、八月の最後の休みを、再び、中島の別荘で過すことになって、夫婦で、一昨日からモントークにいる。

もっとも、今回は中島夫婦はカナダ旅行に出かけていて、その留守に別荘を借りるという形であった。

「シンシアという女の御主人のことを、もう少し、くわしく調べてくれない。名前と、どういう船で働いているのか、モントークにはいつ、帰って来ているのか」

彼の働いている先がわかると、そこから手がかりがつかめるかも知れないと、佐知子は考えている。

「いいわ、やってみる」

姉は積極的であった。

「ロングアイランドには、いつまでいるの」

「八月二十五日まで。日曜にワシントンへ帰るの」

「その前に、なんとか都合をつけてモントークへ行くわ」

「是非、いらっしゃい。そりゃいいところ。彰一さんとハネムーンに来たっていいくらいよ」

「そんな余裕、あるものですか」

妹は自分より先に人妻になった姉へ、顔を赤らめた。

「ニューヨークの特別研修って、なんなの」

「要人警備に関することね」

「日本にも、外国のおえら方がよくみえるようになったから……」

外国からの賓客は通常、大方が夫人同伴であった。女性の警備には、どうしても婦人警官が必要となってくる。

ボディガードとしての訓練の他に、英会話や外国の習慣、エチケットにも馴れていないと具合が悪い。

妹は姉に、それだけしかいわなかった。研修は、いわば表むきの理由であった。

姉妹は五番街を抜け、ロックフェラーセンターのところで左右に別れた。

妹は国連本部に用事があり、姉はペンシルバニア駅からロングアイランド鉄道に乗るためであった。

三

モントークへ戻った翌日に、玲子はスーパーマーケットの店員に、妹からもらって来た日本製の時計をプレゼントした。安物だが、デザインが面白い。それでなくても、日本の時計だというので、インディアンの血が少し入っているというその青年は大喜びしている。

で、玲子は自動販売機のコーヒーを立ち飲みしながら、店員にシンシアの夫について話をきいた。

「その人なら、昨日、帰って来たみたいですよ」

今朝、買い物に来たシンシアが、嬉しそうに話したというので、玲子はいささか慌てた。

「どんな人……」

「僕は彼に会ったことがないんです。モントークへ帰って来ても、あまり出歩かないみたいだし……」

好奇心が、玲子をいささか不用心にした。

スーパーの駐車場に車をおいたまま、ガソリンスタンドの横の坂を上って、シンシアの家の前へ出る。

若い男が、玄関の前で芝刈りをしていた。

髪が黒く、肌の色も浅黒いところは、シンシアと同じベトナム人かと思える。

男が、こっちをみて頭を下げた。

「失礼ですが、日本の方じゃありませんか」

鮮やかな日本語なので、玲子は驚いた。

「そうです、日本人ですけれど、あなたは」

若い男が白い歯をみせて笑った。

「僕は母が日本人なんです」

「シンシアさんの御主人ですか」

「そうです。シンシアを御存じですか」

「時々、そこのスーパーでおみかけしただけですけれど」

「この近くにお住いなんですか」

「いえ、友人のバケイションハウスへ遊びに来ていますの」

「こんなところで、日本の方にお目にかかるのは珍らしいですよ、なつかしいです」

よかったら、ちょっとお上りになりませんかといった。

普通の女性だったら、しりごみするところだが、玲子の職業意識からいえば願ってもない機会でもあった。

玄関のドアを入ると、すぐ右手が台所で、正面がゆったりした居間になっている。

居間の外はベランダで、このあたりの家はみんなそうだが、庭が広く、隣家との境には畑や林があった。

「シンシアさんは、お出かけですか」

　家の中には、他に人の気配がなかった。

「イーストハンプトンまで用事に行きました。もう、ぼつぼつ、帰ってくる筈です」

　このモントークがロングアイランドの先端なら、イーストハンプトンはその手前の町であった。

　モントークよりも人口が多く、ヨットハーバーや海水浴場もあり、ちょっと気のきいた商店街もあるのを、玲子はこの前、ここへ来た時、中島夫婦に案内されて知っている。

「はじめまして、僕、青木健といいます」

　ローマ字の名刺を、机のひき出しから出して来た。

　ニューヨークにある船舶会社の名前が名刺の下に刷り込んである。

「船会社におつとめですか」

「通信士です」

　コーヒーはどうですか、と訊かれて、玲子は会釈した。

　彼は台所へ行き、大型の電気冷蔵庫から氷を取り出して、インスタントのアイスコーヒーを作っている。

　玲子はさりげなく部屋を見廻した。

　たいした家具はなかった。簡素な木のテーブルと椅子、壁ぎわの棚には小型のテレビが、はめ込んである。

その上の空間には、異様な仮面が飾ってあった。まるで歌舞伎のくまどりのような彩色をほどこされた顔と、鳥の羽のようなかぶりものをつけている極彩色の仮面である。

「ああ、それは、スリランカのデモン・マスクですよ」

二つのグラスに氷片を浮べたコーヒーを入れたのを両手に持って、青木健が戻って来た。一つを玲子に渡す。

玲子は胸が轟いた。

有沢彰一の妹、浩子の夫が変死したのはスリランカであった。その時のいきさつは、この前、ニューヨークで有沢彰一から、かなりくわしく説明されていた。

「航海で、スリランカへいらっしゃった時のですか」

「スリランカには、いい港があります。コロンボは有名ですが、その他にもトリンコマリーとか、ゴールとか……。僕も三度ほどあの国の港へ入ったことがありますが、このお面は家内が叔父さんからもらって来たもので、僕が買ったんじゃありません」

旨そうにアイスコーヒーを飲んだ。

それにつられて、玲子もグラスを口に運んだ。苦さと冷たさが、いいバランスで咽喉を通って行く。

「シンシアの叔父というのは、ニューヨークのチャイナタウンで骨董屋をしていましてね。オリエンタル・バザールというんです。彼女は時々、その店を手伝いに行ったりしてましたんで、面白いものをもらってくるんですよ」

玲子は興奮のあまり、息がつまりそうになった。

「実は、その叔父がこの夏のはじめに、店へ強盗が入って殺されたらしいんですが、その前に、家内があずかって来た、面白い神像があるんです。顔が象でして……ヒンズー教ではガネーシャという神なんだそうですが」

口が乾いて、玲子は飲みのこりのコーヒーを一息にあけた。

ガネーシャについても、有沢彰一からきいていた。浩子がキャンディの土産物屋で買い、車のトランクに入れていたのが、いつの間にか紛失していた。

「僕は、美術骨董には、まるで趣味がありませんが、その像だけは面白いと思いました。エキゾチックというか、神秘的というか」

「それは、お宅にございますの」

思わず、玲子が訊ねた。

「骨董に興味がおありですか」

「ええ、ほんの少し……」

「ごらんになるなら、地下の部屋においてあります。なにせ、重いので……」

地下室へは、台所から階段を下りて行くようになっていた。

「家内が、その叔父からあずかって来たものが、他にもありまして……」

地下室は広かった。

薄暗いところに、船の道具が雑然とおいてある。

玲子が驚いたのは、床に水槽があったことである。

床と同じ高さに金網を張った蓋があり、その下に地をくり貫いたような恰好で、大きな水槽が出来ていた。

「生簀なんですよ」

青木健が金網の蓋をはずした。

「僕は釣りが好きでして、このあたりは又、いくらでも釣れるんです。だからモーターボートで釣って来た奴を、ここに飼っておいて適当に料理するんです。ちょっと変った魚がいますよ」

床に腰を突いて、生簀の中をのぞき込んだ。

海水だろうか、水槽の中は白く濁っていて、よくみえない。

「あそこにいます。みえませんか」

うっかり、玲子は中腰で水槽を見下した。男の手が、玲子を背後から強い力で水槽の中へ叩き落した。

必死で浮び上ってくる玲子の頭を押えつける。

濁った水に泡が上り、やがて、その泡が消える時が来た。

地下室の階段のところに、シンシアが顔を出した。

男が、シンシアにむかって、軽く片手を上げてみせた。

四

小出佐知子がロングアイランドへかけつけたのは、玲子が行方不明になった翌日のことであった。

早朝、宿所にしているニューヨークのホテルに、玲子の夫から電話が入った。

「家内、そっちに行っていないでしょうね」

という不安そうな声が、続いて玲子が出かけたきり、今だに帰って来ないことを報告した。

すでにモントークの警察へは届け、捜査を依頼しているという。

「すぐ、そちらへ行きます」

日本から一緒に来ている研修生に、ざっと事情を説明しておいて、佐知子はレンタカーでロングアイランドへ向った。

ペンシルバニア駅から出ているロングアイランド鉄道は、一日に、数本しかダイヤが組まれていない。

この前、玲子の話ではニューヨーク市内から、ロングアイランドのモントークまでは、およそ東京から浜松へ行くほどの距離があり、どう順調にハイウェイをとばしても、三時間はかかるときいていた。

マンハッタンは、いつものように車が混雑していたが、ハイウェイに乗ってしまうと、かなりなスピードが出せた。

少し前までは海水浴に日帰りで出かけるファミリィカーが列を作っていたこの道も、平均気温が二十二、三度の昨日今日は、行楽の車は、ぐっと減っている。

玲子はシンシアに接触したのに違いないと佐知子は考えた。

シンシアの夫について、調査をするように依頼したのは、つい二日前のことである。

不吉な予感を夢中で払いのけた。が、払いのけるそばから絶望的な気分になる。

むこうへついて、細かな事情をきいてみなければなんともいえないが、仮にも、元婦人警官であった玲子が、みすみす、敵の手に落ちたとも思えないし、又、一方では婦人警官だからこそ、深入りをしすぎたとも思われる。

助手席に道路地図をおき、標識を確認しながら、佐知子は車をとばした。

地図をみると、走って行く右側に、それこそロングアイランドの名にふさわしい一直線の海岸が続いている筈だが、ハイウェイからは全くみえなかった。

むしろ、林の中を行くようである。

かなり走ってから、シネコックという地名を確認した。インディアンの名残りであろうか。

サウスハンプトンからブリッジハンプトンを抜け、イーストハンプトンを出はずれるあたりになって、少々の海岸線がみえかくれした。

すでに道はモントークポイントハイウェイへ入っている。

右側の砂地にバカンス用のマンションの建物がいくつかみえはじめた。

玲子の夫は、乾いた草地に立って、佐知子の到着を待っていた。

白いシャツにジーンズという恰好だが、顔は髭(ひげ)がのび、シャツは汚れて、昨夜からの心労が体中に滲(にじ)み出ている。

「義兄(にい)さん」

車に急ブレーキをかけ、佐知子は義兄のかけ寄ってくるのを待った。

「姉さんは……」

「みつからない、全然、手がかりがないんだ」

昨日の午(ひる)すぎ、車で出かけたきりだといった。

「僕は、モーターボートで沖へ釣りに出ていたんだ」

中島文夫のボートで、この前、来た時に一緒に釣りに出て、すっかり味をしめた。

「夕方、戻ってみると、玲子がいない。近所へ出かけたと思って待っていたんだが、日が暮れても戻らないんだ」

車はワシントンから持って来たのだが、玲子はそれで出かけている。

「心配になって、近くのスーパーマーケットまで歩いて行ったんだが……」

夜の八時すぎにスーパーへ行って、店員に訊いてみると、玲子の車は、今しがたまで駐車場にあったのだが、つい三十分ばかり前に、彼女が戻って来て、乗って行ったという。

「てっきり、行きちがいになったのかと思って、家へ戻ってみたが、帰っていないんだ」

夜中になっても連絡がない。

「なにしろ、勝手のわからない土地なんで、気ばかりあせってもどうしようもなくて……」

夜があけてから警察へ届けたという。

とりあえず、玲子夫婦が滞在していた中島文夫の別荘へ行ってみた。

リビングのテーブルの上の灰皿は煙草の吸いさしが山のようになっていたが、これは、昨夜、玲子の行方を案じた夫が吸いすぎたものである。

部屋の中は、ごく普通の状態であった。

「僕が釣りから帰って来た時は、ドアに鍵がかかっていた」

鍵は夫婦が一個ずつ持っていたから、別段、困りもせず、

「部屋の中は、荒らされてもいなかった。車がないし、玲子のハンドバッグとサンダルがないから、出かけたのに間違いはない」

のんびりとテレビをみながらビールを飲み、それから釣って来た魚をざっと下して冷蔵庫へしまい、風呂へ入った。

それが八時頃で、あたりはもう暗くなっている。

「どうも可笑しいと思って、歩いてスーパーへ行ったんだ」

モントークの町はスーパーを中心にして、少々の店が集っている。

「玲子は毎日、スーパーへ買い出しに行っていたから、そこまで行けばなにかわかるかも知れないと思ったんだが……」

そこで知らされたのは、つい三十分前まで玲子の車が駐車場にあり、彼女がそれに乗って立ち

去ったということであった。

「すみません、義兄さん、そのスーパーマーケットへ行ってみたいんですけれど……」

佐知子がいい、義兄は彼女の車の助手席に乗った。

スーパーマーケットまでは、車で十分足らずであった。

町というほどの繁華はどこにもないが、アメリカはどんな辺鄙なところへ行っても、必ずスーパーマーケットとガソリンスタンドがあるように、そこが町の中心になっている。

スーパーマーケットへ行くと、玲子と話をした青年はすぐに出て来た。

いささか、うんざりしている様子なのは、警察からもいろいろ、訊かれたあげくなのであろう。

「日本人の奥さんはよく知っているよ。この辺、日本人が来るのは珍らしいし、前にも来たことがあったからね」

佐知子が行方不明になっている玲子の妹だと知ると、やや、親切になった。

「マダムは午後にここへ来たよ。車を駐車場に入れて……シンシアのハズバンドが帰って来ているといったら、彼女の家へ行ったよ」

歩いて、ガソリンスタンドの横の坂道を上って行ったという。

帰って来た姿はみていないが、玲子の車が駐車場を出て行くのは、スーパーの窓からみえたといった。

「マダムが運転していたよ。白い服で白い帽子をかぶって……」

七時半頃に、玲子の車がスーパーの駐車場を出て行ったのを目撃した人は何人かいた。

ワシントンナンバーの高級車は、人目に触れやすい。

「そうすると、姉さんは、車をスーパーの駐車場において、シンシアさんの家に行き、七時半にここへ戻って来て、車で出て行ったことになりますね」

それから佐知子が足をむけたのは、シンシアの家であった。

シンシアは途方に暮れた顔で出て来た。

昨日、日本人の女性がたずねて来て、自分の夫のことを訊ねたが、たまたま、夫が帰って来ていたので、夫からじかに話をしてもらったという。

「夫のお母さん、日本の人です。それで、とても、話がはずんでいました」

七時すぎまでいて、帰って行ったのだが、

「スーパーマーケットに車がおいてあるといって、そっちへ歩いて行きました」

シンシアという女性を、佐知子はみつめた。

三十をいくつか過ぎているのだろうか、髪を長くして、後で一まとめにしている。ごく平凡な化繊(かせん)のワンピースは、ひどく安物であった。

この女を、玲子はチャイナタウンのオリエンタル・バザールという骨董品店でみかけたのかと思う。

「失礼ですけれど……」

ゆっくりした英語で、佐知子は彼女に訊(たず)ねた。

「奥様は、ニューヨークのチャイナタウンにいらしたことがありますか」

シンシアが首をふった。

「チャイナタウンは知りません。わたしがニューヨークへ行くのは、リトル・インディアに知り合いがいたからですが、その人も、先月、帰国してしまいました」

ニューヨークのリトル・インディアというのはイーストの一番街からパークアベニュウにかけての十五ストリートあたりからやや北へ上った地区で、インド人が多く居住しているところから、その名前がある。

「チャイナタウンは行ったことありません」

「御主人のお母さまが日本人ということですけれど」

佐知子は食い下った。

「主人は日本人と中国人の混皿です」

「それじゃ、御主人の関係でチャイナタウンへいらしたことがあるのでは……」

「ありません」

「御主人はお出かけですか」

「友達がヨットで迎えに来て、遊びに出かけました」

どこへ行くのかは、風まかせだが、多分、十日くらいは帰って来ないだろうといった。

「奥様を一人残してですか」

「私、海はきらいですから……」

「御主人のお名前とおつとめになっていらっしゃる会社を教えて下さいませんか」

「名前は陳健民です。会社はウィルソンKKです」

心を残しながら、佐知子はシンシアの家を辞去した。

「彼女は、あまり関係ないんじゃないかな。玲子はあの家を出て、スーパーの駐車場へ戻って来て、車を運転して立ち去ったのは、何人も目撃者があるのだから……」

事情を知らない玲子の夫は、シンシアにこだわっている佐知子をむしろ、たしなめるようにした。

彼女の家を出て、スーパーマーケットのほうへ戻ってくると、警官らしい男がパトカーから下りて声をかけた。

玲子の車が発見されたという。

場所はモントーク駅の近くの高台の家の庭で、車には誰も乗っていない。

「ともかく、そこへつれて行って下さい」

佐知子が叫び、義兄と共にパトカーに乗った。

モントーク駅は、町のはずれにあった。

まるで遊園地の電車の駅のような、愛らしい駅舎はグリーンの屋根に白壁で、プラットホームには人の姿もない。

今の季節でも、日に六本程度のダイヤで、冬期は休業という鉄道駅である。

パトカーは、駅の手前にある古めかしい劇場の建物の脇を抜けて、山のほうに上って行った。

劇場といっても、滅多に開場することはなく、外からみると、まるで倉庫のような建物である。

そのあたりから、高台の上に一軒、まるでお城のような建物がみえていた。

パトカーは、そこへむけて走って行く。

細い山道の行きどまりに、その館の門があった。

鉄の門だが、扉はこわれて開いている。

「どなたのお屋敷ですか」

警官に訊いてみると、無人の館ということであった。

もともとは、或る金持が住んでいたが、何年も前に、売り払ってしまって、今は不動産屋が買い手を探している。

「いつか、フランク・シナトラがここを買ってカジノにしたいという話があったんだが、住民の反対で立ち消えになっている」

まだ二十代らしい警官は佐知子に関心があるらしく、そんな話までしてくれた。

玲子の車は、門を入った広い敷地に停めてあった。

「僕の車だ、間違いはない」

玲子の夫が確認したが、車の中にも、トランクにも、なんの異状もなかった。

ガソリンも、まだ半分以上、入っている。

佐知子があっけにとられたのは、日本なら直ちに係官がかけつけて、指紋の採取や血液反応の検査をするところなのに、このあたりの警察は、そんなけぶりもないことであった。

どうやら、行方不明の捜査であって、殺人事件ではないということらしい。

館は、遠くからみると立派だが、窓は割れ、庭には雑草が人の背丈ほども生い茂っていて、ひどい荒れ屋敷であった。

「この館の中とか、庭は調べて下さったんでしょうか」

どこかに、玲子が閉じこめられているか、悪くすると死体になっているのではないかと蒼ざめて佐知子は訊ねたのだが、パトカーの警官は、くまなく調べてみたが、なにも発見されなかったというばかりである。

それでも、佐知子は館の玄関へ行ってみた。

入口の扉は針金で結んであるが、そんなものは、すぐにはずせる。

大理石の階段には土がかぶり、上からは蜘蛛の巣が下っている。

「入っては危険だといっているよ」

義兄が、佐知子のところへ来た。

「警官の話だと、階段や天井がこわれていて、うっかり歩くと大怪我をするそうだ」

「義兄さんから、警察へ頼んで下さい。この館の中と、庭を徹底的に捜査してくれるように……

姉は、このどこかにいる可能性があります」

車が庭で発見されたのであった。

「それから、車の中の指紋と血液反応を調べてもらって欲しいんです」

暗い表情で、佐知子は義兄が彼女よりも遥かに、達者な英語で警官と話をしているのをきいていた。

「警察へ帰って、署長の許可をとってから、本格的に捜査をしてくれるそうだ。車は一応、署のほうへ運ぶんだといっている」

それから検査をするというのだろうか。

なんにしても、日は暮れかけていた。

空は曇っていて、今にも雨になりそうである。

パトカーでモントークの町へ送られた頃には、雨が降り出していた。

別荘へ戻ってから、佐知子は東京へ電話を入れた。

ニューヨークの夕方六時は、東京では翌日の午前八時であった。

有沢彰一は自宅にいた。

佐知子の報告をこと細かく聞き、それからいった。

「なんとか休暇をとって、そっちへ発つ。僕が行くまで、くれぐれも無謀なことはしないように……」

早ければ、明日にも成田を発つといってくれた恋人の声に、佐知子は涙を浮べた。

ここが、アメリカでなければ、としきりに思う。

アメリカの田舎町であった。

おまけに行方不明になったのが、外国人の旅行者である。

捜査の進み方が、いま一つ、にぶい感じがするのは、なまじ、佐知子が警官であるためかも知れなかった。

別荘の電話が鳴ったのは、午後八時であった。

電話の声は英語で、応待は義兄がした。

「警察からなんだ、さっきの山の上の無人の館で、玲子が発見されたから、すぐ来るようにとのことだった」

「姉さん無事なんですか」

「わからないが、すぐに行こう」

発見されたという表現は、微妙であった。

とるものもとりあえず、佐知子の車で出かけた。

雨はまだ降っている。

運転は、義兄にまかせ、佐知子はただ、祈り続けた。

姉が、玲子が無事であって欲しい。

警察官としての、これまでの経験からいうと、まず、その祈りは無駄なような気がした。

それでも、肉親の立場では、祈らずには居れない。

車は山道を上ってやがて、例の館に着いた。

無論、館に灯はなく、庭の附近もまっくらである。

人の姿もみえないし、パトカーらしいものもない。

すでに、ひきあげてしまったのかと思った。

それでも、佐知子が車を下り、義兄が続いて、雨の中に立った。

館の玄関のほうに、灯がみえたのは、その時で、人影が、柱のところに立っていた。

「義兄さん、あそこよ」

佐知子が走り出した。

草むらをかき分けるようにして玄関へ進む。

手に懐中電灯を持っている。

佐知子が、その顔をみた。

「シンシア」

背後で、男の叫び声が上った。

「義兄さん……」

闇をすかして後もどりをしかけた佐知子に、何者かが襲(おそ)いかかった。

雨の中で、佐知子が最後に感じたのは、青草の匂いであった。

ロングアイランドのイーストハンプトンの海水浴場は、すでに秋の気配が濃かった。

海水浴の客の姿は、ふっつりなくなって、夏の間、繁昌した海の家も閉まった。

砂浜は、せいぜい近くの子供達が遊びに来るか、ジョギングに来るかであった。

八月二十四日の朝のことである。

二日続いた雨が晴れて、この町のサラリーマンでアンダーソンという青年が、ジョギングで浜へやって来た。

そこに、死体があった。

青年の通報で、警官やら町の人が、かけつけて来た。

発見された死体は、実に三体であった。

女が二人、男が一人。

どれも、長らく、海に浮んでいたものか、魚による破損がひどかった。

やがて、それは新聞記事になった。

ロングアイランドのイーストハンプトンの海岸で発見された三体の死体はワシントンから友人の別荘へ遊びに来ていた日本人夫妻と、その妹であった。警察当局は、今のところ、事故と他殺の両方から捜査を進めている。

ニューヨークの国際空港に下り立った有沢彰一が、手にした新聞には、その事件はごく小さく、片すみのほうに載っていた。

五

ニューヨーク州ロングアイランドにおける三人の日本人殺害事件の捜査に、有沢彰一は警察官として参加することは出来なかった。

勿論、日本の警察庁は有沢彰一の要請を受けて、国際刑事警察機構、即ちインターポールを通じてアメリカの捜査当局に被害者とみられる三人の日本人の失踪、並びに身元確認についての正式な捜査依頼を行ったが、捜査そのものは、ロングアイランドの警察によって行われ、有沢彰一の自主的な捜査活動は不可能であった。

もっとも、ニューヨークから来ていたマイケル・松田という日本人二世の捜査官は、被害者の一人が自分の婚約者に当るという彰一の立場に同情的で、彼の希望には出来るだけ協力するという姿勢をとってくれた。

又、地元のモントークの警官であるキップリングという青年は、彼の弟がスーパーマーケットの店員をしていて、被害者の一人である玲子から日本製の時計をもらったりしている関係もあって、比較的、親切であった。

が、事件そのものに関しては、皆目、見当がつかない。

事件は八月十五日に起っていた。

その日の午後、小出玲子がスーパーマーケットにやって来たことは、キップリングの弟で、スーパーマーケットの店員のベンが証言している。

「彼女からこの時計をもらったのは、十五日だよ。日本から妹さんが来て、後日ニューヨークまで会いに行った。妹さんからもらった時計だといった。彼女はシンシアに興味を持っていて、彼女の夫が帰って来ているといったら、家へ行ってみるといって、車をそこの駐車場へおいて、歩いてシンシアの家へ行ったんだ。帰って来たのは七時半頃で、彼女が車を運転して出て行くのをみたよ」

だが、それっきり玲子は行方不明になって、その知らせを、玲子の夫から受けた。妹の佐知子がニューヨークから、かけつけたのであった。

「君はそこの駐車場へ戻って来た玲子の顔をよくみているのかね」

彰一の質問に、ベンは困った表情になった。

「僕がみたのは、彼女が車を運転して出て行くところだけだが……」

「君は、その時、どこにいた」

「ここだよ、このレジで仕事をしていた」

スーパーマーケットの中であった。

駐車場の入口は、スーパーマーケットの正面と平行になっているので、ベンがみたのはガラス越しに車の出てくる側面とスーパーマーケットとは反対の方向へ左折して道路を走り去った後からの目撃ということになる。

時刻は七時半であった。八月なかばのロングアイランドは陽がぽつぽつ沈む頃合であった。

「車を運転していたのは、確実に彼女だと思うか」

彰一に念を押されて、ベンは不安そうな顔をした。

「白い帽子をかぶって、サングラスをかけていた。白い帽子は彼女がいつもかぶっていて、その日もそうだったから……」

スーパーマーケットのレジから、駐車場の入口まではおよそ、百メートルはありそうであった。

ベンの証言だけで、車を運転して出て行ったのが小出玲子と断定するのは危険だと、彰一は考えた。

もしも、シンシアの家へ行った玲子が、そこでなんらかのアクシデントに遇ったとしたら、犯人は彼女がシンシアの家から出て、それから行方不明になったと思わせる工作をするに違いなかった。

何故なら、玲子がシンシアの家へ行ったことは、スーパーマーケットの店員が知っているし、目撃者もあり得ると思われるからである。

「待ってくれ」

思いついて、彰一はベンに訊ね直した。

「玲子がシンシアの家へ行ったのは、彼女の夫が帰って来ているときいたからだったね」

「そう、シンシアの夫は船に乗っていて、あまり、家に帰らない」

「君はシンシアの夫が帰って来ているのを、どうして知った」

「午前中にシンシアが買い物に来て話したのだよ。昨夜遅く、夫が帰って来たからビールを買いに来たとね」

「玲子は、それ以前にシンシアを知っていた筈だが……」

「僕に、シンシアのことをいろいろ訊いたよ」

「シンシアと玲子は話をしたことがあるのか」

「それはないと思うね、シンシアはあまり人とつき合わない。それに、シンシアと彼女が話をしていたら、僕に玲子が質問することはないと思う」

「シンシアは、玲子が彼女に関心を持っていたのを知っていたと思うか」

「さあ、それは、わからない」

もしも、シンシアが知っていたら、と彰一は考えた。日本人の女性が自分に関心を持って、いろいろとスーパーマーケットの店員に訊ねている。

しかも、その女は、かつてニューヨークのチャイナタウンのオリエンタル・バザールから出て来た自分を尾けた女だ、とシンシアが気づいていたとしたら。彰一は頭をなぐられたような気持になった。

シンシアは楊子春殺しの重要な参考人であった。

ニューヨークでは首尾よく彼女の追跡から逃れたが、その相手に再び、モントークにいる自分を発見されたとわかったら、当然、彼女が手をつかねて彼女の追及を待つとは思えない。

夫が帰って来たというのは、シンシアが危急を知らせたからではないのか。とすると、その夜の中に、シンシアと夫の間で、玲子に対する方針が決っていた筈だ。

シンシアがスーパーマーケットへやって来て、わざわざ店員に夫が帰って来たといったのは、玲子に対する罠に違いなかった。その店員は玲子と親しい。店員を通じて投げた餌に玲子はとびついた。

「君は、スーパーマーケットの駐車場へ戻って来て、車を運転して出て行った女が、玲子ではないと考えるのかね」

シンシアの家へ、彰一を案内しながら、マイケルが訊ねた。

「その可能性もあるということです」

シンシアの家は、空家になっていた。

「この家の持ち主はイーストハンプトンのクリフォードという地主なのですが、彼の話によると八月十七日に、シンシアの夫の陳健民というのがやって来て契約を解除して行ったというのです」

「貸家だったわけですか」

家の中には、たいした家具がなかった。

安物のテーブルと椅子、簡易ベッド、古ぼけた電気冷蔵庫、小型テレビ、それにごく僅かな台所用品がそのままになっている。

近所の人は、十七日には陳健民夫婦の姿をみた者がないし、スーパーマーケットへシンシアが来ていないことも含めて、夫婦はおそらく十六日の深夜にでもこの家を出て行ったと思われる、とキップリングがいった。

「彼らは車を持っていたのですか」

彰一が訊ね、キップリングが答えた。

「シンシアは、いつも自転車を使用していた」

この家に車が停っているのをみた者はないので、おそらく、夫の陳健民は列車でニューヨークから帰って来ていたのだろうという。

「そうすると、引越し荷物は、なんで運んだんですかね」

家具はそのままだとしても、衣類は残っていない。

「こっちの人間は、あまり余分な服を持ちませんからね。スーツケースに入れて持ち出したのかも知れませんよ」

傍からマイケルが説明した。

「十六日の夜というと、玲子の夫と、妹の佐知子が行方不明になったと思われる時ですね」

十七日の午前中に、モントークの警察は事情聴取のために、彼らの滞在している別荘へ電話を入れた。電話に出ないので、キップリングが別荘を訪れた。

車はあったが、別荘の部屋には誰もいなかった。

同じ貸別荘の住人の話によると、夜八時すぎに車の出て行く音を聞き、深夜、その車が帰って来たらしいのを知っている。

だが、少くとも、十七日の朝九時には、二人は別荘にいなかった。しかも、別荘のベッドの一つは無雑作にベッドカバーがかかっている状態で、もう一つはきちんとベッドメイクされたままであった。

そこから想像出来るのは、十五日の午前中に玲子が二つのベッドをきちんと整えてスーパーマーケットへ行ったきり行方不明になったとすると、十五日の夜は玲子の夫だけがベッドを使用したことになり、彼が、十六日の朝、そのベッドにとりあえずベッドカバーをかけておいて、ニューヨークから到着した佐知子と一日中、妻の行方を探し、夕方、帰宅はしたものの、二人共、ベッドを使用しなかったのではないかということであった。

車で出かけ、車で帰って来たといっても、それは近所の人が物音を聞いただけである。

誰かが、彼らの車を運転して、家の前へ戻して行った場合も想定出来る。

シンシア夫婦の姿が、十七日の朝からみえなかったというのは、重大な意味を持つのではないのか。

彰一が、次に訪ねたのはイーストハンプトンのクリフォード家であった。

クリフォード老人は、ゴルフから帰って来たところであった。

林に囲まれた彼の家の庭に立つと、正面にゴルフ場の広々としたコースが見渡せ、そのむこうの小高いところにあるイギリス風な建物が、ゴルフクラブであった。

「あの家は、ニューヨークにいた息子夫婦の別荘に建てたんだが、彼らは仕事でヒューストンへ行ってしまって、まず使うことがないので、不動産屋に頼んで貸家にしたのだよ」

借り主の陳健民からは、毎月、きちんと家賃が銀行にふりこまれていて、今までになんのトラブルもなかったという。

陳健民が解約に来たのは、十七日の朝、八時すぎで、

「急に転勤で遠いところへ行くことになったといって、今までの礼をいい、鍵をおいて行った。今月分の家賃の他に水道代、電気代といった雑費を充分すぎるほど添えてね」

礼儀正しい、立派な青年だったと、クリフォード老人は彼に好感を持っている。

「クリフォードさんは、前にも彼にお会いになったことがおありですか」

丁重に彰一が訊ねた。

「いや、貸した時は不動産屋が間に立っていたからね。会ったのは今度が始めてだ」

「シンシアという奥さんが一緒ではありませんでしたか」

「彼一人だったよ」

「車で来たのですか」

「バイクだよ。日本製の、なかなか上等の奴だったね」

陳健民の人相については、背の高い、色の浅黒い東洋人という程度である。

礼をいって、彰一はクリフォード老人と別れた。

イーストハンプトンは、日本の軽井沢と油壺を一緒にしたような町であった。

商店街は素朴だが、気のきいたディスプレイをしているし、モダンな教会の建物がある。立派なゴルフ場のむこう側は海で、その海岸を少し南下すると、三人の死体が発見された海水浴場に出る。

海水浴場には二十人ばかりの男女がかけ足で通りすぎて行く夏を惜しんでいた。

「せいぜい、もう一週間足らずですよ。九月の声をきいたら、ニューヨークは寒くなりますからね」

マイケル・松田は日本語が達者であった。

有沢彰一も、かなり英語は出来るほうだが、彼が日本語を喋れることで、どのくらい助かったかわからない。

クリフォード老人の英語はキングスイングリッシュでわかりやすかったが、キップリングやベンの言葉にはひどい訛りがあって、マイケルが通訳してくれないと理解出来ない部分が、かなりあったのだ。

海水浴場のある浜辺の左手は入江になっていた。ヨットハーバーで、豪華なヨットやモーターボートがぎっしりと入っている。対岸のレストランでは残飯でもまいているのか、鷗が何羽もそのテラスに群っていた。

小出玲子夫婦、並びに佐知子の死体が、この浜で発見されたのは、八月二十四日のことであった。

もしも、三人が行方不明になった当日に殺害されていたとしたら、発見された時、死体はおよそ一週間を経過していたことになる。

彰一は、警察の冷凍ボックスの中に安置されていた三人の遺体を思い出した。

それは、警察官である彼をしても、思わず目をそむけさせるほどの、ひどいものであった。検屍官は、長く海中にあったために魚に破損されたものだといったが、容貌はおろか、肉体の特徴も殆んど判別が出来ないくらいであった。

決め手になったのは、玲子夫婦に別荘を貸していた中島文夫の証言で、玲子とその夫がニューヨーク在住の頃、歯の治療をした医者がニューヨーク市から呼ばれて、そのカルテを照合した結果、間違いないといわれた。

佐知子の場合は、遺体の首にかけてあった金のペンダントであった。

それは、彰一が彼女の誕生日にプレゼントしたもので、佐知子はいつも首にかけていた。

直径二センチほどの円板の表には、彼女の星座のマークが彫刻され、裏にはローマ字でSACHIKOと刻んである。

そのペンダントは形見として、彰一に渡され、今も、彼のポケットに入っていた。

遺族は、明日、ニューヨークに到着する筈であった。それまでに、ほんの僅かでも、事件解決の手がかりが欲しかった。

彰一がロングアイランドで、最後に足を向けたのはモントークの丘の上に建つ無人の館であった。

その館のことを、彰一は佐知子からの電話で知っていた。

電話は、八月十七日午前八時に入った。ニューヨーク時間では、十六日の夕方六時である。

佐知子はその電話で、姉の玲子の車がモントークの丘の上の無人の館の庭で発見されたと話した。

城のような大きな建物で、広い庭は荒れ果てているが、そのどこかに玲子がいるような気がしてならないのだが、地元の警察は悠長でなかなか捜査にとりかかってくれないとかなり感情的になっているのを、彰一はなだめた。

自分がニューヨークへ行くまで、軽はずみはするなと忠告もした。

しかし、佐知子はその電話をした夜の中に行方不明になってしまった。

キップリングの運転する車で、その丘の道を登って館の前へ到着して、始めて、彰一は佐知子の不安がわかったように思った。

その荒れた屋敷は宏壮なものであった。しかも建物の内部は破損がすさまじく、階段が落ち、壁は崩れている。中庭は草が背丈以上も伸びていて、そのむこうには池があるらしい。

この建物のどこかに、人間を監禁するか、或いは死体をかくしたりしたら、まず、発見は容易なことではない。

第一、館そのものが、山の上の一軒家であった。

しかし、玲子の死体は、夫と妹と共にイーストハンプトンの浜辺で発見された。

結果からいえば、この荒れ屋敷は関係なかったことになる。

それなら、何故、ここに玲子の車があったのだろうかと、彰一は考えた。

八月十五日の夕方七時半に、玲子の車はモントークの駐車場を出ていた。

仮にその車を運転していたのが、ベンの目撃通り、玲子自身だったとすると、玲子はなんらかの理由で、ここへやって来て、この場所で敵の手に落ちたとも考えられる。

敵は、玲子を殺害するか、或いは自由を奪うかして、どこかに連れ去った。車は、この場所に放置されたことになる。

だが、その推定には、いくつかの疑問があった。

最も彰一がこだわっているのは、時間であった。

ベンの話によると、玲子がスーパーマーケットを出て、シンシアの家へ向ったのが、午後二時頃だという。それから七時半に駐車場へ戻って来たとすると、彼女がシンシアの家で過した時間は、およそ五時間余りであった。

初対面の相手の家へ行って、どんなに話がはずんだとしても、五時間以上というのは、あまりにも長すぎた。玲子がシンシアと気が合ってお喋り(しゃべ)りに夢中になったとは到底(とうてい)、考えられない。

そのことについても、佐知子は最後の電話で彰一に、こう報告していた。

「シンシアの話だと、姉は彼女の家を訪ねて、彼女の御主人のお母さんが日本人だということで、御主人と話がはずんで夕方の七時すぎまでお邪魔していたというのですけれど」

可笑しいと、その時、佐知子もいった。

「姉は非常に用心深い性格です。それに、シンシアに接触したのは、ニューヨークの楊子春殺害に関する捜査のためです。私たちの場合、職業柄、そういう時は決して長話はしない、訊くべきことを訊いて、すばやくひきあげるのが常識になっていると思います」

その通りだと、彰一も考えた。

それに、日本人である陳健民の母親が、その家にいたのならともかく、日本人と中国人の混血である陳健民と、それほど話がはずむわけがなかった。

彰一が、もしかすると、七時半にスーパーマーケットの駐車場から車を運転して出て行ったのは、玲子の替え玉ではないかと推理したのは、そのためである。

その想像が当っているとすると、玲子はシンシアの家で、陳健民によって殺害された可能性が強い。七時半まで車を出しに来なかったのは、夕暮の薄闇を待ったためであろう。

玲子の服を着て、玲子の帽子をかぶり、玲子のサングラスをかけて車を運転したのは、おそらくシンシアに違いない。

では、何故、車をこの館の庭まで持って来たのか。

彰一は肩にかけて来たカメラを館へむけて、たて続けにシャッターを押した。

六

有沢浩子が、和気良太からの電話を受けたのは、九月になって間もなくのことであった。

「明日の日曜、上京するんだけども、会えないかな」

良太の声は明らかに照れていた。

「別に用ってほどのこともないんだけど、少しばかりお土産がある……」

浩子は笑い出した。

「お土産に釣られたわけじゃないけれど、あたしは一日中、暇なのよ」

「昼飯一緒に食おうよ」

正午に広尾の明治屋の二階のティルームという。

「変ったところで会うのね」

「中国大使館につとめてる人間と会うもんでね」

どうやら、それが広尾の近くのようである。

「じゃ、明日」

ひどく嬉しそうな調子で良太の電話が切れてから、浩子も久しぶりに浮き浮きした気分になっていた。

八月の末から、つらい思いを抱えて九月を迎えた浩子であった。

ニューヨーク州のロングアイランドで起った事件は、浩子を恐怖に落し入れた。

兄の彰一はつとめて淡々と事件の顚末を話してくれたが、どう考えても、それはスリランカにおける、浩子のかつての夫であった三好和彦の変死につながるとしか思えなかった。

小出玲子は、ニューヨークで殺害された楊子春の事件を探って、シンシアという女性に接触したのであった。

その楊子春は、そもそも、浩子が夫と共にスリランカ北部を旅行中にキャンディのクィーンズ・ホテルでみかけた男であり、静岡の竜明寺の住職、森田光照が、シギリヤでガネーシャの神像をあずかった人物であった。

有沢彰一は、妹のために、その夫の変死事件の真相を捜査して、楊子春がニューヨークに住んでいることをつきとめ、チャイナタウンの彼の店を訪ねて行ったのだが、その時、彰一に協力したのが、小出玲子であった。

そして、玲子の妹は、彰一の恋人の佐知子である。

玲子は妹の恋人のために捜査に協力し、そのあげくロングアイランドで行方不明になり、姉を探しに出かけた佐知子も玲子の夫と共に、犯人の餌食になった。

いってみれば、彰一は妹のために、その恋人を失ったといえる。

浩子は兄の顔が、まともにみられなかった。

「お前のせいじゃない。俺は警察官として当然のことをしたのだし、佐知子さんは、いわば殉職なんだ」

公けの捜査ではなかったから、報いられないが、止むを得ないことだったと苦しそうにいう兄に、浩子はただ泣いた。

実際、浩子にはそのようにいってくれても、玲子夫婦と佐知子の死に対して、彰一が、どれほどの責任と苦悩を感じているかは、ニューヨークから帰国した時の、彼のやつれ切った姿をみただけで明らかであった。

有沢家の両親にしても、深い事情は知らされていないまでも、恋人の変死に打ちのめされている長男と、それにショックを受けている娘の様子をみては、暗然とならざるを得ない。

有沢家は、夏の終りを灰色の空気に包まれて過していた。

浩子にしてみれば、居たたまれない思いである。

そんな折だけに、和気良太の誘いは、ちょっとした救いの気分であった。

日曜日、浩子はさりげないお洒落をした。コバルトブルウのサマーウールのワンピースは、衿と袖口に古風なフランスレースがついている。今年の夏のはじめに買ったものだが、着る機会がなかったのだ。

地下鉄を乗り継いで広尾へ出た。

猛暑の八月が終って、東京の九月は一日ごとにさわやかさを増している。

赤茶色の明治屋の建物の並びは、小さなアーケードになっていて、バラの花の専門店やアイスクリームの店、ケンタッキーフライドチキンの店などが並んでいる。そのあたりにはワゴンセールも出ていて、人が集っていた。

明治屋の入口に、和気良太は突っ立っていた。浩子が近づく前に、彼のほうが浩子をみていた。

「凄い人なんだ。テーブルが満杯で、すわるところなんかないよ」

約束の正午には、まだ十五分もあった。

「長いこと、立っていたの」

「いや、十分足らずかな」

すぐ食事に行こうといい、良太は横断歩道のある方角へ向った。

歩いて、ほんの二、三分のところに洒落た日よけのある小さな店がある。

店内は狭くて、テーブルがおよそ、七つ八つ、奥の小さなテーブル以外は客が椅子についている。

「予約しておいてよかったな」

ほっとしたように、良太が給仕人に名前を告げた。

小さなテーブルは、良太と浩子のものであった。

「こんなお店、よく知ってたのね」

名古屋の人間であった。

「雑誌でみたんだよ。昨日、名古屋から電話で予約したんだ」

「あなたも始めて……」

「勿論だよ」

「いばることないのに……」

顔を見合せて、浩子は忘れていた笑いを取り戻した。

彼と向い合っているだけで、心が明るくはずむようである。

初対面からそうだったと思った。

キャンディの町の小さな民芸品店での出会いの時から、和気良太はほがらかで、ユーモアに富んでいた。

「金が入ったばかりだから、遠慮しないで、好きなものを注文していいよ」

給仕人には、まずボジョレーの白ワインを冷やしておいてくれといった。

「なんで、お金が入ったの」

「旅行社にたのまれて、スリランカのことを書いたんだ」

「原稿料じゃ知れてるでしょう」

「君と二、三回飯をくうなら、相当、旨いものが食べられる」

メニュウをみて、まずサーモンの前菜を決めた。シェフのおすすめ料理である。

「お次は舌びらめかな」

「あたしも同じにするわ」

「個性がないんだな」

「おいしそうだったからよ」

ボジョレーがワイングラスに注がれてから、良太が少し、真面目な顔をした。

「小出佐知子さんのこと、大変だったね」

「知ってたの」

「帰国してから、週刊誌で偶然、みたんだ」

ニューヨーク州で変死した日本人ということで、週刊誌には、かなり大きく扱われた。

もっとも、事件の真相は謎のままで、殺人事件と書いたものもあるが、中には姉妹の三角関係が原因のようなニュアンスの記事も出た。勿論、名誉棄損で訴えられないように、そういう噂もあるといったふうな書き方である。

「すぐ電話しようかと思ったんだが、なんていっていいかわからないし、君だって返事のしようがないと思って……」

浩子は小さくうなずいた。

「つらかったわ」

「そうだろうな」

ワインのグラスを干して続けた。

「俺、ニューヨークで、佐知子さんに会ったんだよ」

浩子は慌ててグラスをテーブルにおいた。

「いつ……」

「八月十四日、場所は五番街のティファニィの店……」

「本当なの」

「カリブ海からニューヨークへ帰って来てね。大学の研究室の先輩に頼まれて、あそこのレターペーパーと封筒を買いに行ったんだ」

「ティファニィって宝石の店でしょう」

「トランプもレターペーパーも売ってるんだ。勿論、百何カラットなんていうもの凄いダイヤもおいてるけどね」

ポケットから小さな箱を出した。浩子の着ている服と同じコバルトブルウの箱である。

「お土産だよ」

「とんでもないわ、そんな高いもの」

「ティファニィにはトランプもレターペーパーも、二、三十ドルのアクセサリィもおいてあるんだ」

開けてごらん、といわれて、浩子はリボンをほどいた。箱の中から茶の皮袋が出る。その中に入っていたのは、小さなハート形の輪を金で作ったペンダントであった。

「これ、高いわ」

「むこうで買うと安いんだ」

照れかくしのように、二杯目のワインを空ける。

「いやじゃなかったら、受け取ってくれないか。折角、買って来たんだから……」

「いやじゃないけれど、嬉しいけれど、悪くって……」

「俺、比較的、金に困ってないって話、しなかったかな」

「それは、知ってるけど……」

父親が不動産を遺してくれていて、のんびり研究室で好きな学問をして、年に何回かその研究のための旅行をすることも出来る身分だと聞いた記憶がある。

「そんなことより、佐知子さんの話、訊かないのか」

反問されて、浩子は赤くなった。

思いがけない贈り物に喜んで、兄の恋人の話があとまわしになっている。

「十四日にティファニィで会ったのね」

「そうなんだ。立ち話をして、彼女はこれから姉さんに会う約束があるといって、店を出て行った。それっきりだ」

「玲子さんとニューヨークで会ったのね」

それが十四日だとすると、玲子がモントークで行方不明になる前日であった。

姉妹はニューヨークで、なにを話したのか。

「嘘だろうな。佐知子さんが姉さんの亭主と三角関係なんて……」

週刊誌にそんなふうな内容のものがあったと、良太は顔をしかめている。

「佐知子さんは、君の兄さんのフィアンセだろう」

「あの記事は、でたらめよ。全くの大嘘よ」

佐知子姉妹が殺されたのは、楊子春殺しの容疑者を追跡した結果だと、浩子は話した。

「少くとも、兄さんはそういってるわ。あたしも、そう思うの」

「楊子春……」

「スリランカで会った人なの。あなたと出会った、あの旅の時……」

夢中で、浩子は喋った。

その中国人が、ハバラナ・ヴィレッジの、浩子達の泊ったコテージのすぐ前の建物に宿泊していたこと、彼の住所がニューヨークのチャイナタウンで、オリエンタル・バザールという骨董品店の主人であるのを彰一が調べて、彼に会うためにニューヨークまで行ったのだが、彼は自分の店の中で殺害されていて、その店でみかけたスリランカの風俗をしていた女が、実はロングアイランドのモントークに住んでいたことなどを、洗いざらい話すと、良太は熱心に聞いている。

「待ってくれよ。それじゃ、佐知子さんの姉さんは、君の兄さんに協力して、その女を追いかけてたってわけか」

「玲子さんも、元、婦人警官だったの。結婚して退職したのだけれど……」

浩子の話がモントークでの事件に入ると、良太は料理を食べるのも忘れたようであった。

「週刊誌の記事と、随分、違うな」

「兄さんが、大事なことはなにも喋らなかったから……」

マスコミに対しては、原因不明の殺人事件で押し通した。

「だから、三角関係なんて書かれたりしたんだけど……」

モントークの事件に、陳健民とシンシアの夫婦が絡んでいることを話すと、良太は考え込んだ。

「その二人が犯人なのか」

「兄さんは、そう思っているわ」

シンシアは楊子春のオリエンタル・バザールにいた女性であった。

「そいつが、楊子春って奴も殺したのか」

「それは、わからないけれど……」

モントークの玲子に関していえば、シンシアの家を訪ねた時点から、平仄(ひょうそく)が合わなくなってくる。

「兄さんは、玲子さんが五時間以上も、シンシアの家にいたのは可笑しいって考えているのよ」

「駐車場へ車をとりに来たのが、玲子さんじゃないって理由は、それだけかい」

「まだあるわ。もしも、玲子さんが自分で車をとりに来たのなら、その後、車が丘の上の空き屋敷の庭で発見されたことから考えると、玲子さんが車を運転してそこへ行ったわけでしょう」

時刻は七時半であった。

「玲子さんの御主人は海へ釣りに出ていて、夕方には帰ってくるのよ。主婦として、玲子さんは一ぺん、家へ帰るか、その時間がなければ、スーパーマーケットから電話を入れたと思うのよ」

スーパーの店員の証言だと、玲子の夫は八時すぎに玲子を探してスーパーまで歩いてやって来た。

「七時半には、家にいたのだから、もしも、玲子さんが電話をしていれば、それを受けた筈なのに、それがなかったから探しに出て来たんだわ」

仮に電話が出なかったとして、

「スーパーから別荘までは、車なら五、六分なんですって。だったら、当然、別荘へ寄るんじゃゃないかしら」

　玲子が自分の意志で車を運転して、丘の上の空き屋敷へ行ったとすれば、

「おそらく、そうするように、シンシアの家で誰かがいったと思うのね。だったら、そのことを玲子さんは御主人に話して出かけるんじゃないかって、兄さんが……」

　夜になる刻限であった。女の気持としたら、知らない場所へ一人で行くよりも、夫に同行してもらおうと考えるのが自然ではないかと浩子も思う。

「つまり、電話もなかった。家にも寄らなかったことから、君の兄さんは、車を運転して行ったのは、玲子さんじゃないと判断しているんだね」

　浩子がうなずいた。

　良太は、三杯目のワインを飲み干した。

「そうすると、車を運転して行ったのは……」

「シンシアが、玲子さんに化けて……」

　日本人が、いわゆる白人をみるとイギリス人もフランス人も同じ顔にみえるのと同様に、アメリカ人も東洋人はみな、同じにみえる。

「なぜ、車を丘の上に運んだのかな」

　思い出したように、スモークサーモンをフォークで口に運びながら、良太がいった。

　彼も亦(また)、この奇怪な事件に、のめり込んでいるようであった。

「そんな丘の上まで運ばなくたって、どこか、別のところへ持って行くほうが、簡単じゃなかっ

たのか」

「兄さんの話だと、その丘の上の無人の館は一軒家で、普段、誰も近づかないところなんですって……」

彰一の撮影して来た写真をみると、それは人里離れた丘の上に、ぽつんと建っている。

「玲子さんの乗っていた車は、ヨーロッパの高級車で、おまけにワシントンの車なのよ」

ニューヨーク市ならともかく、ロングアイランドのような田舎町では、目立つ車であった。

「つまり、そこなら発見が遅れるってことじゃないかしら」

実際、モントークの警察が、その車を発見したのは、十六日の午後になってからのことであった。

「玲子さんの御主人と佐知子さんが、警察のパトカーで行って、車を確認したそうなのよ」

良太が二、三回うなずいた。

「それだよ。それが布石だよ」

「布石……」

「もしも、犯人が佐知子さんをも殺そうとしていたら、その丘の上の無人の館なんてのは絶好の場所じゃないかな」

町にも人家にも遠い一軒家で、無住である。

「少々、声を立てたって、聞えはしない」

「そんな寂しいところへ、夜、行くかしら」

「行く理由が、車だよ」

「なんですって……」

「十六日の昼間に、姉さんの車が発見されて、佐知子さんはパトカーでその場所へ行っている。その時点で玲子さんは、まだ発見されていないわけだ」

もしも、その夜に誰かから電話があって、その館のどこかで玲子が発見されたといって来たら、どうするかと良太はいった。

「必ず、佐知子さんはその丘の上の一軒家へかけつけるだろう」

「犯人が、電話で呼び出したってこと」

「おそらく、警察の名前を使っただろうな」

浩子の瞼の中に、或る光景が浮んでいた。

写真でみた化け物屋敷のような建物に、深夜、姉の姿を求めてかけつけて行った佐知子に襲(おそ)いかかる黒い影であった。

「そういう時、アメリカ人なら必ず、武器を持って行くものだよ。ピストルとか、猟銃はまず大方(おおかた)のアメリカ人が持っている。しかし、日本人は無防備だ」

婦人警官である佐知子ですら、プライベートには武器を持たない。

「気の毒に。あの人が死んだなんて、到底、信じられないよ」

低く呟(つぶや)いて、良太は給仕人を呼んだ。今度は赤ワインを注文するらしい。

七

その午後を、浩子は和気良太と映画をみて過した。

「夕食は、あたしにまかせて……」

名古屋へは、最終の新幹線で帰ると聞いていた。

「原稿料が入ったといってるだろう」

「でも、それは、又、この次に……」

「又、会ってくれるのか」

良太の調子が、彼らしくなく真剣だったので、浩子は狼狽(ろうばい)した。悪い気持ではない。

「名古屋は、遠いわね」

「会ってくれるなら、毎週でも上京してくるよ」

「まさか」

「いや、本気」

日比谷(ひびや)の喫茶店の片すみで、良太は浩子の眼をのぞくようにした。

「君が好きなんだ」

そういわれるのではないかという予感が、浩子にあった。

「あたしは未亡人よ」

一度、結婚した女だといいたかった。良太は、おそらく結婚した過去はないに違いない。

「半年経てば、結婚出来るんだろう」

すらすらと良太はいった。

「彼の一周忌まで待ったら、結婚してくれるか」

「本気なの」

「俺はいつも本気……」

ふと、弱々しいものが浩子の心を支配した。

「あたしも、良太さんが好きなのかも……」

はじめて会った時から、奇妙に印象に残った。

「それを聞いて食欲が出た」

喫茶店を出て、近くのホテルへ行った。

ホテルの中には、日本料理、中華料理、フランス料理などの高級店が入っている。そのどこかで夕食にするのかと思っていると、フロントへ行って鍵をもらって来た。

待っていた浩子の手を引いてエレベーターのほうへ行く。

「どうするの」

流石(さすが)に動揺した。

「今夜、東京に泊ることにした」

返事にならない返事をして、良太は部屋へ入ると、ルームサービスにシャンペンを注文した。

驚いたことに、部屋はスイートであった。

ベッドルームとリビングと二部屋に分れている。

「贅沢な部屋に泊るのね」

自分のいる場所がベッドルームでないことで、浩子は僅かに余裕を持った。窓の外は、漸く、日が暮れるところである。

「君と最初の晩だから、けちなことはしたくなかったんだ」

あっさりいわれて、浩子は返事が出来なくなった。

といって、部屋を出て行く気持もなかった。

すでに結婚を経験した女が、小娘のような真似はしたくないと思う。

シャンペンが運ばれて、良太が自分でコルクをとばした。

二つのシャンペングラスにきれいな泡が立つ。

乾盃すると、良太がごく自然に浩子を抱きに来た。

柔かな接吻が、唇から耳朶へ、首筋から胸へ落ちて来て、浩子は自分の体が、すでに潤っているのを知った。

「ベッドへ行こう」

良太がささやいて、浩子は彼の胸に顔を伏せたまま移動した。

ベッドの上で、良太は卵をむくように浩子の着衣をはぎ取って行った。自分は服をつけたままで、浩子の裸身を丹念に愛撫する。

三好和彦との結婚生活では経験しなかったことであった。

浩子の感覚は殆んど海の中に沈んだようであった。ゆらゆらとただよっているかと思うと、突然、荒々しい波が襲いかかって来て、彼女を絶叫させた。

良太がいつ服を脱いだのかも、浩子にはわからなかった。彼を受け入れることになんの抵抗もなく、彼が耳許でささやく言葉通りに自分の体が動いて行くのが不思議ですらあった。

長い時間を、浩子は彼の腕の中で過した。

気がついたのは、深夜である。

「大変、帰らなければ……」

ホテルへ入ってから五時間あまりが経っていた。

浩子が身仕度をすると、良太も服を着た。

「帰るの」

「君を送って行くため」

気がついたように、上着のポケットから、もう一つの箱を出した。赤い皮の箱である。

「ティファニィで買って来たんだ。君との、結婚指輪……」

ダイアモンドは二カラットはあると思われた。

「正式に婚約するまで僕が持っているつもりだったんだけど、実際は、今日が結婚記念日になったから……」

両親には当分、内緒にしておいてくれといった。

「兄さんがフィアンセをなくしたばっかりなのに、俺がプロポーズに行くのも、遠慮がなさすぎると思うから……」

彼の気持が、浩子には嬉しかった。

ホテルから浅草まではタクシーであった。

「夕飯、食べそびれたね」

腕時計をみて、苦笑する。それで、はじめて時間に気づいたようであった。

「君と五時間も一緒にいたなんて、信じられないな」

浩子は赤くなり、黙って彼の手を握りしめた。

「五時間か」

もう一度、呟いて、良太が小さくささやいた。

「玲子さんが、シンシアの家で過したのも、五時間だったね」

話が飛躍したので、浩子は夢からさめたようになった。

「もしかすると、彼女も、そうだったのかも知れないな」

「玲子さんが、誰と……」

「シンシアか、シンシアの旦那かな」

「冗談じゃないわ。玲子さんは御主人があるのよ」

「男が、魅力的だったら……」

「無理よ」

良太が笑った。

「そうだな。いささか強引な推理かも知れないね」

タクシーが浅草へ着いていた。

浩子を家の近くの路上で下し、良太はその車で帰って行った。

家の玄関を開ける時、浩子は少々、気がとがめた。

十一時を過ぎていた。

「浩子か」

居間から出て来たのは、兄の彰一であった。

「遅かったな」

「話に夢中だったのよ」

誰とはいわなかった。

「風呂へ入ったら、俺の部屋へ来ないか。お前にきいておきたいことがあるんだ」

「なあに」

「和彦君のこと……」

そのまま、二階へ続く階段を上って行く。

居間では、母が湯上りの顔にクリームをつけていた。

「早くお入り。ちょうどいいお湯よ」

ホテルで一度、シャワーを使っていたが、それからも、良太に抱かれている。

兄の前に行くことを思うと、浩子は慎重に自分の体を洗い流した。

湯上りには、パジャマを着て、兄の部屋へ行った。

彰一は細かな活字の並んでいる書類を読んでいた。なにかのコピィのようである。

「早速だがね。和彦君は宝石に興味があるようだったかな」

浩子は、ちょっとまごつき、すぐにうなずいた。

「あたしも知らなかったんだけど、彼がなくなってから、インドの日本大使館にいる岡本さんという方が、彼の原稿を返して下さったの」

スリランカで、和彦の上司だった高木保雄を介してのことである。

「その原稿が、宝石のことに関するものだったのよ」

「持っているのか」

浩子は自分の部屋へ行って茶封筒に入った原稿用紙の束を持って来た。

二百五十枚ほどのもので、「宝石物語」と表題が書いてある。

「和彦さんが、インドにいた時分に書いたんですって。岡本さんのお兄さんが東京の出版社につとめているので、そこで出版出来ないかと、あずけたらしいんだけど、返されて来たんです」

果して、そんな原稿を今更、三好家へ持っていったものかどうか、迷って、自分の手許においておいた。

「インドの大使館に、和彦君がいた頃というと……」

「スリランカへ転勤する前だから、二、三年以前から昨年までね」

外交官は大体、二年で別の場所へ転勤になる。

「インドは比較的、長かったように聞いていたけれど……」

「これ、兄さんに貸してくれないか」

「勿論、かまわないけれど、何故なの」

彰一が俄かに宝石に興味を持ったとは思えない。

「くわしいことはいえないが、佐知子さんが内々に調査を命じられていた仕事の一つに、宝石がからんでいたのがわかったんだよ」

それだけでは、浩子にはなんのことかさっぱりわからない。

「ともかく、これは借りるよ」

仕事の内容については、家族にも話さないのが、彰一の主義であった。

「疲れているところを、すまなかったね」

兄にうながされて立ち上りかけた浩子は、なんの気なしにいった。

「モントークの空き屋敷に、玲子さんの車がおいてあった理由だけど……」

彰一の眼が笑った。

「もう、そのことは忘れるんだよ」

「犯人が、佐知子さんを、あとからそこへおびき寄せるための布石だというのよ」

良太の意見を話すと、彰一の表情がひきしまった。

「誰が、そんなことをいった。浩子の考えじゃないのだろう」

「和気良太さんよ。彼は十四日にニューヨークのティファニィで、佐知子さんに会ったんですって」

彰一が妹を凝視し、浩子はその視線に耐えられなくなって、眼を伏せた。

部屋の時計が十二時を打つのが、いつもより大きく感じられた。

第四章　青が呼ぶ

一

週に一度、上京してくる和気良太を、浩子はひたすら待つ女になった。土曜か日曜に良太は東京のホテルに一泊して行く。曜日を変えるのは、良太の都合というよりも、浩子のためであった。

毎週、日曜に外出して夜更けに帰るのでは家族にあやしまれやすい。級会だの、友人と観劇だのと、浩子は口実を作った。それでも、ぼつぼつ、両親は娘の行動に疑いを持ちはじめている。それを口に出さないでいるのは、娘が一度結婚して戻って来たためであった。

同じ親子なのに、出戻り娘というのは、なにがなしに遠慮があるのかも知れない。

浩子は、家族の思惑など考える余裕がなくなっていた。

良太は逢う度に、情熱的であった。

死別した三好和彦が一人よがりな享楽を求めたのに対して、良太は浩子の反応に親切であった。浩子の肉体が、どういう波長で歓喜へかけ上ろうとしているかを適確に捕えている。同時に浩子の感覚も、良太によって急激に開かれていた。

間もなく、浩子は自分の深い部分で、良太が絶叫し、空白になるのを知った。そういう時の良太は、浩子の胸に顔を埋めて、いつまでも彼女の乳を強く吸い続けている。そして、浩子は痛みと恍惚に全身をよじりながら意識を失うのが常であった。

次第に、浩子は良太の名古屋での生活が気になりはじめた。

女の自分ですら、週に一度、良太に抱かれるのを待ち遠しい思いなのに、彼はいったい、どうなのかと不安になる。

ためらいながら、浩子がそれを口にすると良太は苦笑した。

「名古屋に女はいないよ」

大学の研究室とアパートの部屋を往復するだけの単調な生活だという。

「あたしと、こうなる前はどうだったの」

はしたないと思いながら、訊かずにはいられなかった。

彼の返事はあっさりしていた。

「そりゃあ、居たよ」

「その人とは別れたの」

「みんな、外国にいる女たちだったからね」

資料集めの旅先で抱いた女だと答えた。

「ニューヨークにもいたんでしょう。スリランカにも……」

不意に体中が燃え上って、浩子は良太に抱きついた。

「スリランカで、あたしとあなたが同じコースを旅していた時も、あなたには女の人がいたのね」

「君にも、三好和彦がいたじゃないか」

「いたの。あの時、あなたに女の人が……」

良太は浩子の視線をはずすと、体の向きを変え、いきなり、彼女の下腹部を襲(おそ)った。雨に濡(ぬ)れたような花片の奥へ舌をさし込んでくる。

「いやよ。わたしを見て、眼を逸(そ)らさないで……」

浩子はもがいたが、良太は彼女を押えつけて放さなかった。知覚を彼の唇に吸い出されたように、やがて、浩子は考える力を失った。

あとは、良太を迎え入れて、おたがいをむさぼり尽(つく)すしかない。

その夜、良太がいつものように、浩子を浅草まで送ってくると、たまたま、彼女の家から一人の男が出てくるところであった。

丸い背中を一層、まるめるようにして地下鉄の駅のほうへ歩いて行く。

「あの人だわ」

思いがけなかった。

「清水署の刑事さんなの」

荒木忠人であった。

「君の家へ、なんで清水の刑事が訪ねて来たのさ」

「多分、兄さんに用があって来たのだと思うけれど……」

なんとなく別れそびれて、暗い道を歩き出した。浅草もこの辺りは商店がないので、夜は更けるのが早い。

静岡の竜明寺の住職、森田光照がスリランカで楊子春からガネーシャの神像をあずかり、バンコクへ行ったきり消息不明になっていることと、彼の愛人で小料理屋を経営していた林きみ子が殺害された話をすると、良太はあっけにとられて聞いた。

「それは、君の御主人が殺された事件とかかわりがあるのかい」

「わからないけれど、あたしは楊子春という人をハバラナ・ヴィレッジでみかけているのよね。それと、あなたも御存じの、キャンディで買ったガネーシャを車の中へおきっぱなしにしてしまって、なくしてしまったでしょう」

ポロンナルワで車が発見された折、ガネーシャの像は紛失していたのだ。

「その静岡の坊さんがバンコクへ持って行ったのが、君の買ったガネーシャだというの」

「その可能性もあるでしょう」

車が故障して、道端に置き去りにしたのが三月八日の夕方であった。その夜、浩子は楊子春をハバラナのホテルでみかけ、翌日、車を取りに行った和彦はそれっきり行方不明、三月十日の朝になって、車と共にポロンナルワの湖のほとりのホテルで発見された。

「林きみ子さんの話だと、森田さんが楊子春からガネーシャをあずかって来たのは、九日の午後なのよ」

「誰かが、君の車のトランクの中からガネーシャを取り出して、楊子春に渡し、彼がそれを坊さんにあずけたということか」

「取り出したのは、楊子春かもね」

「成程……」

時間的には平仄が合った。

「でも、何故、そんなことをしたのかわからないのよ」

ガネーシャの像は、日本人には珍らしいが、格別、貴重なものではない。値段も、浩子が買ったのは五千ルピイを、良太の交渉で二千ルピイにまけてもらった。日本円にしておよそ二万円である。

危険を冒してまで、わざわざ盗む代物ではなさそうであった。

「しかし、楊子春という男は、ニューヨークで殺されていたんだな」

考えながら、良太が呟いた。その楊子春殺害事件を追っていた小出玲子、佐知子姉妹と、玲子の夫がロングアイランドで変死している。

「その、森田とかいう静岡の坊さんが、バンコクで行方不明というのが、気になるね」

愛人は、誰に殺されたのかと訊かれて、浩子は首をふった。

「犯人はわかっていない筈よ。荒木さんが来たのも、そのことじゃないかしら」

手がかりはなにもなく、ただ、スリランカ旅行の時の写真が何枚か盗まれていただけであった。

路地をぐるりと廻ると、浩子の家の近くへ出た。

「それじゃ、今度は日曜に上京する。いつものホテルに正午には入っているから……」

浩子を抱きしめて、良太は激しく接吻した。

「苦しいよ、一週間が……」

大通りへ出ると、通りかかったタクシーを手をあげてとめて、帰って行った。

有沢家では、母が台所で片づけものをしていた。

「今まで、お客様だったのよ」

「清水署の刑事さんでしょう、地下鉄のところでみかけたのよ、声はかけなかったけれど」

恋人とのデイトを、浩子は両親に対してやましく感じている。そのせいか、良太と別れて帰ってくると、つい、饒舌になりがちであった。

「荒木さんとかいってね。感じのいい人だけど、お酒が強いのよ」

夕方から今まで飲んでいたらしい。

「それじゃ、兄さん、ひっくり返っているんじゃないの」

「中国茶を持って、二階へ行ったけどね」

風呂場で湯の音がしているのは、父の俊明らしい。

「お父さんも、さっき、お帰りになったのよ」

ゴルフで軽井沢へ行ったものであった。

洗面所で、顔をのぞいてから、浩子は兄の部屋へ行った。

彰一はテーブルの上に写真を並べて眺めている。入って来た妹を、ちらりとみて、お帰りといった。

「清水から荒木さんが、みえたんですって」

写真は彼が持って来たもののようであった。

「例の、林きみ子の部屋にあった写真なんだがね」

ネガは奪られていて現像したものが三十一枚。三十六枚撮りのフィルムだから、普通ならあと五枚ある筈であった。

「こうやって並べてみるとね、最初と終りはよくわかるんだよ」

その写真には、一枚一枚、日付が入っていた。

テーブルの上には、旅行社のスケジュール表がおいてある。

浩子が静岡で林きみ子からみせてもらったスリランカ旅行の「セイロン周遊バスの旅8」というのであった。

三月五日と日付の出ている写真は日本の空港のようであった。空港ロビイで旅装の林きみ子がにっこり笑っている。おそらく、誰かにシャッターを押してもらったものであろう。

三月五日のは、それ一枚だけで、次が三月六日、ペガサスリーフ・ホテルの玄関の前で林きみ子が写っているものと、ほぼ同じ場所に男が立っているのがある。

「彼が森田光照だよ」

彰一が教えた。林きみ子のパトロンである。

三月六日の日付の写真は、この外(ほか)には風景が多かった。スケジュール表をみるとコロンボからキャンディへの移動である。パイナップルを食べているのだの、紅茶工場と思われるところだの、バテックの製作場などがあった。

三月七日の日付のものは、キャンディのクィーンズ・ホテルの前での記念写真や、仏歯寺の外、キャンディ湖のほとり、植物園の風景がある。どれも素人(しろうと)のスナップ写真で、林きみ子と森田光照が交替で撮(と)り合ったらしい。

三月八日付の写真は七日付のにくらべてずっと少なかった。

香辛料の植物園らしいのが二、三枚、あとは雨の降っている中で写したダンブラの寺院が一枚、そして、次は三月九日の日付でシギリヤのホテルの中と、シギリヤロックでのものが合せて四枚、それだけでこのフィルムは終っている。

「これで、なにかわかるの」

久しぶりにスリランカの風景写真をみて、浩子は或る感慨を持った。

林きみ子がこの写真を撮っていた時、自分は夫と共に、ほぼ同じコースを旅していた。

そして、今、浩子はその旅で知り合った和気良太と恋をしている。

「わかっているのは、このフィルムに写っていた五枚の写真が、犯人にとって、都合の悪いものだったということだね」

彰一が、ふと思い出したように、妹の顔を眺めた。

「お前が静岡で林きみ子に会って来たのは、たしか七月十七日だったね」

浩子は即座にうなずいた。

「そうよ、十五日に三好家の法事で高木さんに会って、高木さんから、森田さんの話をきいたのだから……」

中一日おいて、浩子は静岡へ行った。

「兄さんが、お前と一緒に林さんへ電話を入れたのが、その日の夜だ」

彰一が手帖をみた。

「林きみ子から家へ電話があったのが、二十三日の午すぎ、これは母さんが出た、僕らが静岡へ電話をしたのが……」

「七時よ、七時から三回もかけて、誰も出なくて、兄さんが帰って来て、竜明寺へかけたのよ」

そこで、林きみ子の殺害事件を知った。

「七月十七日から二十三日までの間に、お前、誰かに静岡の話をしていないか」

つまり、林きみ子に接触したことだと彰一はいった。

「俺の他に、誰かに話していないか」

「いないわ」

決然と浩子はいった。

「兄さん以外に、話した人はいません」

「間違いないな」

念を押されて、浩子は反問した。

「どうしてなの」

もしも、浩子が静岡へ行って林きみ子に会ったことを誰かに話したとすると、それはどういう意味を持つのか。

「荒木君も指摘したんだがね。犯人の目的が林きみ子の口を封じ、持っている写真を取り上げることだったとすると、何故、今頃、行動を開始したのだろうね」

彼女の死がスリランカの三好和彦の事件とかかわり合いがあるとしたら、

「スリランカへ行ったのは三月だよ。何故、七月まで彼女を生かしておいたのだ」

浩子は小さく叫んだ。

「林きみ子さんが殺されたのは、あたしが彼女に近づいて、いろいろ訊いたからなのね」

「浩子というよりも、浩子の後に俺がいることを犯人は知っている筈だよ」

少くとも、林きみ子の事件とスリランカの事件がつながっているならばだ、と彰一は断定した。

「もしも、そうだとしたら、犯人はいつ、どうやって知ったんだ。浩子が静岡へ行き、林きみ子に会ったことをだよ」

彰一か、浩子が洩らさない限り、浩子がきみ子に会ったのを犯人が知るわけがない。

「きみ子さんが、犯人に話したとしたら……」

浩子がいい、彰一がうなずいた。

「荒木君と俺の結論はそこなんだ。とすると犯人は林きみ子の知人なんだ。それに、もしかすると一緒にスリランカへ行っているかも知れない」

荒木忠人刑事が根気よく調べた限りでは、林きみ子にはパトロンの森田光照の他に男はいない。

「金銭のトラブルとか、人に怨みを受けている事実も出て来ない」

無論、森田光照の本妻や息子は、彼女を憎んでいるに違いないが、

「そっちのほうは、完全なアリバイがあったそうだ」

強盗殺人の線は最初の段階で消えている。五枚のスナップ写真しか、紛失したものはなかったのだ。

「きみ子さんが、犯人に殺されるとは夢にも思わず、あたしがスリランカのことを訊きに来たのを喋ったとしたら、きみ子さんは犯人の仲間だったってことにならない」

彰一が慎重に顎をひいた。

「彼女はお前が訪ねて来たことを、犯人に話した。ひょっとすると、今後、どうしたらいいか、犯人から指示を仰いだのかも知れない。それから、これは兄さんの勘なんだが、二十三日の午すぎに、林きみ子がこの家へ電話をかけて来たのは、自分と犯人とのつながりを、お前に告白するつもりだったのかも知れないんだ」

犯人に連絡している中に、林きみ子は自分の身の危険に気がついた。警察へかけ込むのはためらいがあったが、浩子に打ちあけることで、決心をつけようとしたのではなかったのか。

「あたしが事務所の電話を教えておけばよかったんだわ」

林きみ子の動揺を見抜いたように、犯人はすみやかに彼女を殺害して行った。

「怖いわ。兄さん……」

すべての殺人が一つ線上のものとすれば、三好和彦を含めて、すでに六人が死んでいると浩子がいい、彰一がゆっくり首をふった。

「いや、七人だ。もしかすると八人かも知れない」

「なんですって……」

「第一の殺人は、キャンディだよ」

三月七日の真夜中、クィーンズ・ホテルの近くで殺されたバンコク在住の華僑、陳文威だと、指を折った。

「もう一人は、行方不明の森田光照だ」

色を失った妹の肩を、彰一は優しく叩いた。

「心配するな、事件は必ず、兄さんが解決する。お前はもう、この事件に首を突っ込むな。今度はお前が危険になる」

会話が途切れると、部屋のどこかで虫の声がした。もはや、息も絶え絶えの、それでも懸命にすだいている秋の虫の音である。

二

荒木刑事は、静岡の旅行社でもらったリストを片手に、静岡の寺を廻(まわ)っていた。

三月五日に日本を出発して八日間の「セイロン周遊バスの旅8」に参加したのは静岡県内の僧侶とその家族十七人であった。

ツアーとしては少人数のほうである。

「近頃はむかしのように、五十人だ、八十人だという団体旅行はむしろ珍らしくなりました。殊(こと)にセイロンなどというのは一般的な観光地ではありませんから……」

旅行社の係員の説明によると、そのツアーは、最初から小乗仏教の聖地を訪ねる坊さんを対象として企画されたものではなかったのだが、結果的には最初に申し込んだ住職が仲間を誘って、同業者ばかりのツアーになってしまったものだという。

十七人の中、夫婦は六組で、愛人を女房がわりに同伴したのが森田光照、残りの三人は父親と息子兄弟であった。

荒木刑事は、その七軒の寺を歩いては、森田光照と林きみ子について、聞き込みを行った。

森田光照の評判はおおむね、よくなかった。

金もうけのためには少々、危い橋も渡りかねない男だということと、吝嗇(りんしょく)で、出すものは舌でもいやだと、散々である。

「まあ、そのけちな男が、一人息子を名古屋の大学へ入れる時は、えらい金を使ったといいますから、人並みな情愛は持っとったんでしょうがね」

生来、女好きであっちこっちで浮気をするが、いわゆる檀家の未亡人といったような素人で、自分から金を出すことはない。

「商売女は、金がかかって阿呆らしいというのが口癖でしたな」

例外が、小料理屋をさせていた林きみ子で、

「名古屋の料亭の女中をしていた時に、光照さんと知り合ったとか、きいていますよ。その料亭に、息子さんの入った大学の先生方がよく来ていたとか、案外、そんなあたりで関係が出来たのと違いますか」

たまたま、一軒で聞いた話に、荒木刑事は興味を持った。

林きみ子が、森田光照の二号になって静岡に店を持たせてもらったのは二年前で、

「その年の春に、息子さんが名古屋の大学に入って居るんですよ」

おそらく林きみ子が仲介して、森田はその大学の有力者にコネをつけたのではないかと、その住職は想像している。

「林きみ子が働いていた名古屋の料亭の名前は御存じですか」

荒木が訊ね、相手はかぶりをふった。

「わしは知りませんが、森田の女房は知っとると思いますよ」

そんな話をしたあとで、荒木刑事はこの寺でもスリランカ旅行の際のスナップ写真をみせても

らい、許しを得て、ネガを借用した。

旅行の写真のネガを借りたのは、七組のどこの家でも同じであった。

それを現像して、林きみ子の部屋に残されていた写真とくらべてみては、というのが有沢彰一からのアドバイスである。

比較検討するのは三月五日から九日までの分で、成田出発時を別とすると、スリランカの旅ではコロンボ郊外のペガサスリーフ・ホテルからキャンディ、ダンブラ、シギリヤまでのコースであった。

林きみ子の写真の中、五枚が紛失しているのは、その部分である。

借りたネガを現像し、荒木刑事は丹念に、それらを眺めた。大方の写真が人物を中心にしている。が、風景だけを写したものもあるし、グループの人々を撮ったのもある。

大体、グループで旅行をしている時、素人がカメラをかまえる場所というのは共通しているものであった。

ホテルの前で一人が写真をとると、みんなが、それに倣って同伴者をホテルの前へ立たせてシャッターを切る。

仏歯寺の前でも、植物園でも、ダンブラの寺院でも、七組の家から借りて来た写真を並べて行くと、まず、同じ背景で各々の人間が似たりよったりの構図でカメラに納(おさま)っているのがよくわかった。

林きみ子の写真にしても例外ではなかった。

トランプのカードを並べるように、各々の写真を並べて行く中に、荒木刑事は或ることを発見した。

それは、シギリヤの部分であった。

このグループは朝、シギリヤのホテルをバスで出て、シギリヤロックの下でバスを下り、それから岩の間の道と石段を上ってシギリヤレディの壁画にたどりつき、更に登ってライオンの脚の形に岩を彫った門のある台地で一息入れてから、急な岩場を苦労してよじのぼり、頂上の宮殿跡に到着している。

誰ものカメラが、まずホテルを出発する玄関の前でシャッターを押していた。次はシギリヤロックの下でバスをおりたあたりで、そこには先着の旅行者のバスや車やジープなどが駐車していた。その部分を撮っている写真は、いわゆる人物がカメラのほうをむいている記念写真ではなくて、人物が勝手に動いているのを、カメラを持っている人間が適当にシャッターを切っているといったふうなのが多かった。全員が、これからシギリヤレディのある岩山へ登るというので、どこかで張り切った表情をしている。

次のは、石段の急勾配の途中で立ち止って写したもので、遥かな森の風景へカメラをむけているのと、石段を上ってくる同伴者を上から写したのがある。

それからシギリヤレディの壁画、続いてはライオンの脚の門のところの記念撮影、そして頂上でのものと続く。

帰りはこの逆だが、けわしい岩山を登った疲労と、帰りを急ぐ気持からか、往きほどには、誰もシャッターを押していない。

シギリヤロックの写真の最後は、下で待っていたバスの近くであった。

早くに下りて来た人ほど、沢山、シャッターを押しているのは、あとから戻ってくる人を待つ時間があったためで、同じバスの傍の写真でも、往きのほうは登ることに気がせいていて、立ち止ってカメラへ正面をむけているアングルのが少いのに、下りて来てからのは、三々五々、集っての記念写真になっていた。誰もが疲れた顔をしていることもあって、往きのと戻って来てからのとは大体、区別が出来る。

荒木刑事が、はっとしたのは、林きみ子の写真の中に、バスの周辺で撮ったものが一枚もなかったことである。

シギリヤのホテルの前のはあった。岩山への道のも、シギリヤレディの壁画も、獅子の門も、頂上も、すべてが撮影されているのに、バスの附近のものが、往きも帰って来てからのもない。

これは、少々、可笑しかった。

もしも、林きみ子と森田光照のカップルが一番、最後に岩山を下って来たとすると、戻って来ての記念写真を撮る時間はなかったかも知れないが、それならば往きの写真があってよい筈であった。

最初にバスを下りた時には、これからシギリヤロックへ上るというので、みんな興奮していたに違いない。カメラを持っている旅行者の心情としては、まず、麓からのシギリヤロックの奇異な姿へシャッターを切るのが普通で、そうすればバスの周辺は否応なしにカメラの中に入るのでしていた。実際、森田光照と林きみ子を除く七組のカメラは気をそろえて、そこでのスナップを残している。

荒木刑事は、林きみ子のカメラになかった部分の写真を、他の七組の写真の中から集めた。みんな似たようなアングルだが、少しずつ変っている。殊に岩山へ登る前と、戻って来た時とでは、彼らのバスこそ、同じ場所に停っているが、その他の車の位置は変っていた。すでに帰ってしまった車もあるし、あとから来て停っている車もある。

それらを丹念にチェックして発見したいくつかの点を、荒木は刻明に手紙に書いた。

写真と手紙を封筒に入れて、東京の有沢彰一宛で郵送したのは、名古屋へ出かける朝であった。

すでに森田光照の本妻から、林きみ子が以前、働いていた名古屋の料亭を訊き出していた。

その日は、その料亭へ行く予定であった。

林きみ子の働いていた店は、御園座の近くにあった。

料亭と呼ぶには小ぢんまりした店で、座敷が四つ、他にはカウンターに十人くらい並ぶことが出来る。

時間をみはからって行ったので、満席のカウンターの客は、ぼつぼつ食事を終えて席を立つところであった。

予約なしで、今から食事が出来るかと訊くと、入口近くにいた女中が愛想よく空いた席へすわらせてくれた。

昼食は幕の内弁当形式のものと、定食になっている。

荒木は鶏の唐揚定食を注文した。

ここは名古屋コーチンの本場である。

鶏の唐揚の他に、だし巻きと海草の吸い物とお新香に味噌汁、白い飯がついてくる。

それらをゆっくり食べ終る頃には、先客は全部、いなくなった。

この店の主人はカウンターの中央で働いていた初老の男であった。荒木はそこへ近づいて警察手帖をみせ、林きみ子のことについて訊ねはじめた。

主人は、彼女が森田光照の妾になっていたことも、静岡で紅屋という小料理屋をやっていて、七月二十三日に殺された事件も知っていた。

「そんなことになるんではにゃあか、と噂をしとったでよう」

この店にいた時から、金にかけては目はしがきいて、たくましいところがあったといいかけた時、店に女が一人、入って来た。

遅すぎる食事に来たのかと思うと、そうではなくて、幕の内弁当を一人前、テイクアウトにしてくれといっている。

店で食べるかわりに折詰にして持って帰るらしい。

若い職人が折詰を作りはじめ、女は入口に近い椅子にかけて、そこにおいてあった新聞を読みはじめた。荒木がみるところ、平凡なＯＬのようである。荒木は話の続きをはじめた。

三

有沢彰一が、荒木忠人刑事、消息不明の報を受け取ったのは、十月十五日のことである。清水署へ問い合せてみると、彼は十月十三日に名古屋へ行くといって家を出たきり連絡を絶っているという。

浩子が、その事件を知ったのは十六日の新聞記事によってであった。兄の彰一はすでに出勤している。

「荒木さんって、この前、家へおみえになった刑事さんなのね」

浩子に新聞をみせられて、母の英子もびっくりしている。

荒木のような職業の者が行方不明として新聞に出る時は、生命に危険があると想定される場合だとは、浩子も知っていた。

記事によると、彼が消息を絶ったのは、名古屋の日本料理の店で「小春」というのを仕事のために訪ねて行って、午後三時すぎにその店を出てからのことらしい。

彼の仕事というのは、林きみ子殺人事件の捜査だと、浩子は気がついた。

すると、名古屋へ行ったのも、そのために相違ない。

林きみ子の事件は、スリランカに端を発していた。

下手をすると、荒木忠人は九人目の犠牲者になったのではないかと思い、浩子は背中が冷たくなった。

その荒木忠人が静岡から出した封書は、十六日の午後に有沢家へ配達された。

浩子が受け取って消印をみると、差出したのは十三日になっている。

荒木忠人が行方不明になった当日であった。

「すぐ、兄さんに知らせたほうがいいと思うわ」

とびつくようにしてダイヤルを廻してみると、

「有沢警部は只今、帰宅されました。間もなく、そちらへ着かれると思います」

という返事である。

実際、兄の足音が玄関を入って来たのは、浩子が受話器をおいてから二十分足らずの中であった。

「緊急にバンコクへ発つことになったんだ。夕方、成田から乗る」

だしぬけにいわれて、母も浩子も仰天した。

彰一はさっさと部屋へ上ってスーツケースに手早く身の廻りのものを入れている。

「現地へ行ってみなければわからないんだが、小出佐知子と名乗る女性がバンコクの日本大使館へ現われたそうなんだ」

下着を持って部屋へ入った浩子に、彰一が早口にいった。

「佐知子さんですって……」

小出佐知子は彰一の婚約者であった。彼と同じ国際刑事課の係官だったが、ニューヨーク州のロングアイランドで死体となっている。

「おそらく、別人だろうと思う。しかし、その小出佐知子を名乗る女は、インターポールに所属している彼女のパスポートを持っているそうだ」

そのくせ、なんのためか、日本大使館員の一切の質問にはかたくなに口をつぐみ、重要な任務を抱えているので、日本から同僚の有沢彰一を至急、呼びよせて欲しい、その上でなにもかも話すといっているという。

「実は、バンコクの日本大使館からの電話にその女が出たんだ」

声は、聞きおぼえのある小出佐知子に非常に似ていたと彰一は流石に興奮を押え切れない様子であった。

「だって、佐知子さんは歿ったんじゃないの」

ロングアイランドの海岸に、姉の玲子夫婦と共に死体になって打ち上げられた。

「死体は俺もみた。しかし、佐知子だという確認は首にかけたペンダントだけだったんだ」

玲子夫婦の死体はニューヨーク在住の頃に、二人の歯の治療をした医者がカルテとレントゲン写真を照合して、間違いないと断定した。

「だが、佐知子の場合はそうした決め手がなかったんだ」

一緒に行方不明になった姉夫婦の死体と共に海岸で発見され、婚約者の贈ったペンダントをかけていたので、佐知子に間違いあるまいということになったが、今となってみると甚だ不確実であった。

「佐知子の死体と断定されていたのが、別人のものかも知れないんだ」

兄の声がはずんでいるのに、浩子は気がついた。

無理もなかった。死んだと思っていた婚約者がバンコクに姿をみせたのだ。

「もし、佐知子さんが生きていてくれたら」

事件の解決も急転直下になるかも知れなかった。

「あまり期待するな。兄さんもそのつもりだ」

強いて、自制しているという感じであった。

「どっちにせよ。むこうから連絡する」

慌しくタクシーを呼び、家を出る兄を見送りかけて、浩子は気がついた。

「荒木忠人さんから手紙が来ていたの」

タクシーの窓から彰一が受け取った。

「くれぐれも気をつけて……危いことをしないでおくれね」

母の声を背にタクシーはスピードをあげて去った。

兄の出発もショックなら、佐知子が生きているというニュースも衝撃であった。

有沢家では、バンコクからの連絡を家族が首を長くして待った。

だが、二日経っても彰一からはなんの連絡も来ない。

和気良太から電話が来たのは十月十九日の夕方であった。

「教授の依頼で、急にシシリーへ行くことになっちまったんだ」

良太の声は心なしか、いつもの元気がなかった。

「明日の朝、成田を発つんだけれども、来られないか」

今夜は成田のホテルへ泊るという。

「ホテルへ行きます」

当分、彼に逢えなくなるという思いが、浩子を大胆にさせた。

「友達が急な旅行で明日の朝、コロンボへ発つの。今夜、成田のホテルへ泊っているから、送りがてら行って来ます」

コロンボには数ヵ月だが生活したことがある浩子であった。

「いろいろ、教えてくれっていってるから、今夜、あたしも成田のホテルへ泊って、明日、見送って帰って来ます」

恋がいわせる嘘を、母親は疑いもしなかった。

気がとがめながら、浩子は成田のホテルへ急いだ。

ホテルの部屋で、良太はベッドに横になっていた。

「なんだか、一つ体の調子が可笑しいんだ」

どこが悪いというのでもないが、名古屋から成田まで来ただけで、疲れたといい苦笑している。

「そんなで、シシリーまで行って大丈夫なの」

南廻りでローマへ行き、乗りかえて、その日の中にシシリーのパレルモへ入る予定だときいて、浩子は眉をひそめた。

「薬はいろいろ、もらって来たし、旅には馴れているから、なんとかなるよ」

いきなり手をのばして浩子をベッドの中へ誘い込んだ。

「具合が悪いのに、いけないわ」

「久しく、君を抱いてないせいかも知れないんだ」

実際、良太の肉体はいつも以上のエネルギーで浩子に挑んで来た。

ためらいながら、浩子は欲望に押し流された。

「やっぱり、君のせいだったんだな」

長い愛撫の末に、良太が浩子の耳のそばでささやいた。

「もう、こんなに元気になっている」

浩子の手を、その証拠へ導いて笑い声を上げる。

実際、今しがた、浩子を絶叫させた彼の肉体は、すみやかに回復していた。

「シシリーには、どのくらい、行っているの」

別れている日数が不安であった。

「予定では三週間……」

「そんなに長く……」

「待てないからって、浮気するなよ」

「あなたこそ……」

二度目の結合へ急ぎながら、良太が浩子をみつめた。

「もしも、俺がシシリーで倒れたら、かけつけてくれるかい」

「縁起でもないこと、いわないで……」

良太が荒々しく、浩子の感覚を支配した。

「来てくれよ。もしもの時は……」

のけぞりながら、浩子は両手を良太の腰に絡ませた。

「来るか、浩子……俺が呼んだら、俺のところへ……」

返事のかわりに、浩子の咽喉が鳴った。

空港に近いホテルは、深夜になっても車の出入りの音が、かすかに聞えていた。

四

有沢彰一はバンコクで慌しい一日を過すと、そのまま、スリランカへ飛んでコロンボの日本大使館に高木保雄を訪ねて或る件について協力を求めた。

高木保雄が、彰一の依頼に応じて紹介したのはモスリムと呼ばれるイスラム教徒の一人であった。

モスリムというのはインドから渡って来たアラブ商人の末裔といわれ、スリランカの宝石業界には絶大な力を持っている。

古風な扇風機が音を立てて廻っているコロンボのペッター地区にあるシー・ストリートの宝石

店で、高木保雄と共に、そこの主人であるモスリムの一人、モハメッドに面会し、長時間にわたる質問のすべてを終えた時、有沢彰一の表情はひきつっていた。

高木保雄も亦、顔面蒼白になっていた。

「信じられない。まさか、三好君が……」

譫言のように呟いている高木に、彰一はインドの大使館にいる岡本に或る調査を依頼してもらうように頼み、自分はひとまずインターコンチネンタルホテルへ帰った。

受話器を取って国際電話を申し込む。相手の出るのを待つ間が、もどかしかった。

やがて、女の声が聞えて来た。電話はかなり遠い。

「浩子か」

二度、重ねて訊ねたのに、

「いいえ、お母さんよ」

息子の電話に母親はうろたえていた。

「浩子、いますか、浩子を出して下さい」

「それがね、急に出かけたのよ」

「どこへ行ったんですか」

「シシリーなの」

「なんですって」

「和気良太さんがシシリーで御病気になって、浩子に来て欲しいって。和気さんにはスリランカで大変お世話になったでしょう」

ホテルの部屋は冷房がききすぎているにもかかわらず、彰一の額からは汗が吹き出していた。

「いつ発ったんです。浩子は……」

「昨夜よ。北廻りでローマへ行って、のりかえてパレルモへ行くとか」

警察官としての沈着さを、彰一は辛うじて取り戻した。

「パレルモのホテル、わかりますか」

電話口で母親は娘の残して行ったメモを読み上げた。

「わかりました。僕もそっちへ行きます」

理由はいわなかった。

電話を切って、腕時計をみる。コロンボの午後四時三十分は、東京の夜八時であった。

昨夜、南廻りで成田を発った浩子は、すでにローマ経由でパレルモに到着している可能性がある。

母から教えられたパレルモのホテルへ国際電話を入れることを考え、彰一はそれをあきらめた。パレルモのホテルには和気良太がいる。

部屋をとび出して、フロントへ行き、国際便の時刻表を借りた。

スリランカからの空の便はそれほど豊富ではない。

今からローマへ向うとすれば、まずボンベイへ飛び、乗りかえてデリーへ、更に乗りかえてローマというのが一番速そうであった。

幸いこのホテルにはランカ航空のカウンターがある。

それからの彰一の行動は迅速であった。

日本大使館からは高木保雄が連絡を受けてホテルへ来た。彼との打ち合せは空港へ向う車の中である。

半月の浮ぶ夜空へむけて、彰一を乗せた航空機は定刻を三十分遅れて飛び立った。

同じ月を、浩子はパレルモのホテルで眺めていた。

シシリーは、まだ夕方であった。

海のむこうはアフリカ大陸というこの島は東京からくらべるとかなり暖かであった。

今日の午後、岩山の裾にあるパレルモの空港へついてみると、ブーゲンビリアの花が咲いていた。

空港からパレルモの町へ向うタクシーの中からも竜舌蘭やハイビスカス、夾竹桃などが花盛りであった。そのくせ、家々の壁にからまっている蔦の葉は紅く、野原には枯れ尾花がみえるし、鈴掛けの並木はすでに黄ばんでいる。が、そうした風景を浩子はゆっくり眼にとめていたわけではなかった。気持は上ずっていたし、瞼の中にはベッドで呻吟している和気良太の顔ばかりが浮んでいた。

パレルモから東京へかかって来た良太の電話はひどく弱々しかった。

「具合が悪いんだ。熱が高くて、薬は飲んだけれども、心細くて仕方がないんだ」

途切れ途切れに話す彼の声をきいている中に、浩子は決心していた。

成田の空港のホテルで良太と抱き合った時の約束でもあった。

「浩子、俺が呼んだら、来てくれるか」

息がつまるほど浩子を締めつけながら良太がささやいた時、浩子は母親のような愛情で彼を包み込んだ。

「行くわ。いつでも……」

あれは、なにかの予兆だったと浩子は思っていた。そういえば、出発前から良太は体の不調を訴えていた。何故、成田で彼をとめなかったかと、今更ながら後悔が先に立つ。

出発を一日延ばして、病院で検査を受けさせていたら、こんなことにはならなかったのではないか。

車は山のふちを走って空港とは反対側の海沿いへ出た。

山側の高台から見下すパレルモの町は海にむかってひらけている。オレンジの木が傾斜地を緑に埋めて、それがパレルモを豊かな感じにしている。

タクシーが浩子を下したホテルは、海辺にあった。

まるで中世の館といった印象だが、建物はアラブ風でもあった。

シシリーの歴史はフェニキア、ギリシャ、ローマの順で影響を受け、ビザンティン帝国の支配を受けたあとにはアラブ、ノルマンに統治された。

町の建物がさまざまなのは、この島の歴史のせいであった。

フロントで和気良太の名前をいうと、でっぷりしたフロントマンがエレベーターを指した。それで一階へ下りるようにという。

小さな古風なエレベーターであった。

このホテルは斜面に建っているので、玄関は表の道からは一階のようにみえたが、その実、建物全体からは二階に位置するらしい。

スーツケースをフロントへあずけ、浩子はいわれたままにエレベーターに乗った。

一階のエレベーターのドアは乗ったのと反対側が開く。

そこはテラスであった。

左にダイニングルーム、右にバアがあって、どちらも庭へむいている。客室はない。

フロントが間違えたのだと思った。良太は客室のどこかで、ベッドに横たわっている筈である。

テラスからは美しい花壇のある庭が、なだらかに海へ続いている。

フロントへ戻ろうとして、浩子はその庭の先の、まるでこの館を築いたアラブの王様の専用船着場のような石垣のところに、男が立っているのをみた。

彼が浩子へ手を上げている。和気良太だというのが、一瞬、信じられなかった。

白い綿のズボンに、黒いポロシャツ、濃いサングラスをかけている。

それでも、浩子はその男へむかって走り出していた。良太は両手をひろげて、浩子を抱いた。

「来てくれたんだな」

はずんだ声であった。

「さっき、ローマから着いた便に、君らしい女性が乗っていたと、友人が知らせてくれたんだが、信じられなかったんだ」

　不思議そうに見上げた浩子に、笑いながらつけ加えた。

「パレルモには、いやシシリーには大勢、友達がいるんだ。パレルモの空港にもいる。君のことを話しておいたんだ」

「でも、よく、わかったわね」

「シシリーじゃ日本人は珍らしい、まして、日本の女性が一人で来ることは、滅多にないよ」

「病気じゃなかったの」

　海からの陽を浴びて、良太の顔は精悍であった。いつもの、浩子の知っている良太である。

「熱が出たのは本当だ。君に電話をした時が一番、悪かった」

　薬がきいて、一夜あけたら元気になったという。

「あわてて、来るんじゃなかったわ」

　良太が浩子をみつめた。

「そんなことをいえないようにしてやるよ」

　そして、今、浩子は天蓋のかかった円型ベッドの上で、まだ陶酔から覚め切らない視線をベランダへむけていた。

　海の上の空は、夕暮れて、そこに白い半月が出ている。

　コロンボの空港を飛び立った旅客機の窓から、兄の彰一が焦燥と不安を押し殺すようにして眺めたのと、同じ月であった。

五

二時間ばかり眠ってから、浩子はパレルモの夜の町に出かけることになった。

良太が食事をホテルの外でといい出したからである。

いくらかけだるさの残っている体にシャワーを浴びて、浩子は白い服を着た。

「日が落ちると気温が下るんだ」

良太が注意して、浩子は白いカシミアのショールを手にした。

「まるで、ハネムーンだな」

姿見に映った浩子を眺めて、良太は満足そうであった。

午後九時のパレルモの町は、喧騒が渦を巻いていた。狭い道には人があふれ、食べ物の匂いと歌声がどこを歩いてもついて廻る。

良太と手をつないでいた浩子は、彼があちこちから声をかけられるのに気がついた。

陽気なイタリヤ語が、良太を取り巻き、彼がそれに流暢なイタリヤ語で返事をしている。

「なんといっているの」

浩子の問いに、良太が笑った。

「君のことを恋人かと訊いているんだ」

「知らない人なんでしょう」

「いや、友達」

冗談らしく笑って、良太は一軒のレストランに入った。まるで旧知のようである。

給仕人の様子が、良太に対して親しげであった。

メニュウをみていると、奥から主人が姿をみせた。中肉中背だが、がっしりした体つきをしている。表情は優しかった。良太の肩を叩いて早口になにか告げている。

「この店の主人なんだ。ドン・ペテロ」

主人の話が終ったところで、良太が紹介した。

「むかしは俳優で、イタリヤ映画にはよく出ていたらしいよ」

いわれてみると彫の深い、いい顔であった。

「君のことを、とてもチャーミングだといっている」

「彼もお友達なの」

先程の彼の冗談に対していったつもりだったが、良太はまじめに答えた。

「ペテロは親友だ。もう十年になるかもね」

「シシリーは、はじめてじゃなかったの」

「いや、何度も来ている。数え切れないくらい……ここで暮したこともある」

思いがけなかった。

今まで、良太の口からシシリーのことをきいていない。

「あなたが、わからなくなったわ」

考えてみると、浩子は良太について、なにも知らなかった。名古屋の大学の研究室で、文化人類学を専攻しているというだけである。

「その中、話すよ」

良太はかすかに苦笑し、ワインのグラスを取り上げた。

食事の間中も、何人かが良太の傍(そば)へ来た。浩子には全くわからないイタリヤ語で話しては去って行く。

食事を終えて店を出る時、良太がペテロを呼んで、なにかいった。ペテロが大きくうなずいて一たん奥へ入り、次に現われた時には人形を手にしていた。

「十字軍の兵隊の人形だよ。シシリーの民芸品でね」

良太が浩子に説明した。

古色蒼然(そうぜん)とした人形は甲冑(かっちゅう)をつけ、剣を下げている。大きさもかなりだが、ペテロから受け取ってみるとずっしりと重い。

「君には無理だよ」

あっさりと良太が人形を取り上げた。

帰り道でも、良太は何人かに声をかけられた。男ばかりでなく、女も良太へ手を上げ、笑顔をむける。

ホテルの部屋へ戻ったのは深夜であった。

電話のベルの音を聞いたのは、バスルームの中であった。誰からだろうと思い、浩子はバスタオルを体に巻きつけて外へ出た。

良太はこちらへ背をむけてベッドサイドの受話器を取っている。浩子をみると二、三言話してからゆっくり切った。

「コロンボからカシムがかけて来たんだ」

良太のほうからいった。

「おぼえているだろう。君とはじめて会った時、僕と一緒だったシンハリ人のカシム……」

「知ってるわ。東京にもみえたでしょう」

ハバラナ・ヴィレッジで朝から黙々とカレー料理を食べていた男であった。

「良太さんって、世界のあちこちにお友達がいるのね」

姿見の方へ行って腰をかけると、良太がガウンを取って、浩子の肩へかけてくれた。

「スリランカはシシリーに似ているんだ」

ガラス戸越しに良太は夜の海を眺めた。

「セイロンもシシリーも、古くから異民族の侵略を受けた。自分の土地に住みながら、いつも、他からやって来た奴の支配下におかれている。おまけにその支配者が次々と変る。変らないのは、その土地に住む人間が、常に被征服者だってことだ」

ブラシの手を止めて、浩子は良太の言葉を聞いていた。

たしかに、セイロンとシシリーと、二つの島には共通点がある。

セイロンも古くからインドの侵攻を受け、近世になってからはポルトガル、オランダ、イギリスの植民地であった。

「俺がこの土地を好きなのは、シシリアンが好きだからなんだ。侵略と支配の歴史の中で、自分の故国なのに、自分達のものではなかった。今だってそうだ。シシリーはイタリヤの支配下にある。しかし、シシリアンはイタリヤ人じゃない。少くとも、彼らはそう思っている。シシリーはイタリヤの属国じゃない。シシリーはシシリアンの故国なんだ」

良太の眼の中に青い炎がゆらめいていた。

「俺がシシリアンやシンハリ人に共感を持つのは、俺も祖国があってない人間だから」

浩子をふりむくと、彼女の手を取ってベッドへ誘った。並んで、腰をかける。

「僕の両親は日本人だ。しかし、二人共、日本国籍を捨てた。無国籍の両親はやがて生まれた僕を、友人の養子にして国籍を持たせた。その男がシシリアンなんだ」

浩子は良太の腕の中で、彼の声を聞いていた。彼は漸く、浩子に自分の生い立ちを語ろうとしているのだと思う。

なにを聞いても驚きはしなかった。もはや浩子の肉体は彼の一部になってしまっている。

「両親はこの前の戦争の時、ヨーロッパの或る国にいた。外交官だったんだ。日本の終戦の少し前、父はスパイ容疑を受けた。俺が生まれる以前のことなんだがね、後年、そのことを父は否定しなかった。信念があってのことだったと母が話してくれた。しかし、その時代では、スパイ容疑は死を意味している」

もしも、その時、空襲がなかったら、俺の両親は処刑されていただろうと良太はいった。

「空襲で、二人は逃げた。地下組織にかくれて生きながらえ、やがて戦争が終った」

日本大使館では、この事件を表沙汰にしなかった。一人の外交官が妻と共に爆死したことになり、戦後の混乱期はそれで通用した。

「親父とお袋は生涯、無国籍だった。日本へも帰らなかった。帰れば厄介なことになる。幸か不幸か、両親の家族は、どちらも戦争中に死んでいたんだ」

かすかな微笑が良太の片頬に浮んでいた。

「日本になんの未練もないといっていた父と母だったんだが、どちらも病気になって、間もなく死を迎えるという時に、涙を流して日本を恋しがった。いつか、俺に日本へ帰って、先祖の墓まいりをしてくれと遺言した」

父と母の遺骨を、海へ捨てたと良太はいった。

「海には国境がないからね。帰りたければ、日本へだって流れつくことが出来る」

良太の胸の中で浩子は泣いた。

浩子には想像も出来ない良太の生い立ちであった。

「名古屋の大学で、俺は留学生なんだ。体を流れる血が日本人でも、俺は日本人じゃない。留学生として日本に出入りしている」

ふと気がついたように、浩子をのぞき込んだ。

「どうした、なにか訊かないのか」

浩子は眼を閉じて、良太にすがりついていた。訊くことはなにもなかった。ただ、肌を触れ合い、おたがいの呼吸を感じ合うことで、良太の悲しみに同化したいと思う。

そんな浩子を良太は暫くみつめていた。もし、浩子が眼をあけていたら、自分へ注がれている良太の視線の中に、激しい苦悩があるのを認めたかも知れない。

やがて、良太も眼を閉じた。なにかを思い切るように体を重ねると一気に恍惚へかけ上って行った。

六

翌朝、良太は浩子を車に乗せてホテルを出発した。

「君に、シシリーをみせたいんだ」

そういわれただけで、浩子は納得した。車はイタリヤ製のスポーツカーであった。

「君は、本当になにも訊かないんだな」

パレルモの町を抜け、高速道路へ入ってから、良太がいった。

「なにを訊くの」

「たとえば、この車はどうしたんだとか」

車はレンタカーではなかった。

「お友達に借りたのか、あなたの車か、どっちかでしょう」

良太が笑い出した。

「その通り。で、これからどこへ行くと思う」

「シシリーをみせて下さるんでしょう」

「君には参ったな」

片手でハンドルを握りながら、片手でシシリーの地図をひろげた。

「パレルモからシシリーを横断してカタニアへ向うんだ。それから北上してタオルミナまで行く」

高速道路は海沿いから次第に山岳部へ入って行った。

車の往来は殆んどない。

風景は次第に荒々しいものに変っていた。

白茶けた岩肌の露出した山には樹木が少かった。

時折、羊の放牧をみる以外に、なにもない。

「これが、シシリーの一つの顔なんだ」

良太がいった。

「海辺の町は、果樹が育ち、花が咲いている。海の幸にも山の幸にも、まあ恵まれていて、しかも港には外国からの船が入る」

それにひきかえ、山岳部は荒涼とした死の世界であった。

「俺が死んだら、骨をこなごなにして、ヘリコプターでこの山岳の上に、ばらまいてくれといってあるんだ」

浩子は地図を折りたたんだ。

「日本人と結婚したら、どうなの。帰化という形で、日本国籍がとれるわ」

良太は正面をむいたままであった。

「それほど、日本が好きじゃないんだ。それに、今のほうが自由でいい」

車の左右は砂漠のような風景になっていた。

道もないようなところを、二人ばかり男が歩いている。パトカーが道のすみにとまっていた。

「警官だな」

走りすぎながら、良太が呟いた。

「死体でも出たのか」

流石に、浩子はぎょっとして良太をみた。

「このところ、マフィアの争いが激化しているんだ」

或る種の政権争いだと良太はなんでもなく話した。

「この島では人殺しは日常茶飯事なんだ」

死体を放置する場合もあるが、ちょっと厄介だと、

「山か、海へ捨てる」

どちらもあまり発見されないが、たまさか、羊を追っている牧童などがみつけて警察に通報する。

「海だと、浜に打ちあげられる」

それで、浩子は或ることを思い出した。

ニューヨーク州のロングアイランドの浜辺で発見された三つの遺体である。

「あたしがこっちへ発つ前に、兄さんがバンコクへ行ったの」

小出佐知子と名乗る女性が、バンコクの日本大使館へ現われたためである。

「まさか、佐知子さんが生きているとは思えないんですけどね」

良太は黙って腕時計をみた。

「少し遅くなるが、タオルミナへ着いてから食事にしよう」

行く手の小高い山の上に、ひとかたまりになっている町がみえた。

「あれがエンナ、中世の古い町なんだ」

とってつけたように話題を変えた良太に、浩子はさりげなくうなずいたのだったが、小さな異和感が心のどこかに残った。

シシリーを横断する高速道路はカタニアで海に突き当った。

イオニア海に沿って北上すればメッシナ、南下すれば古代ギリシャ時代、シシリー最初の都市となったシラクサへ出る。

良太が目指しているタオルミナはカタニアとメッシナのほぼ中間にあった。

タオルミナの町は海沿いと、やや高台へ上ったところとに分れていた。

リゾートホテルは、むしろ高台にあって海を見下す断崖に建っている。

良太が車を停めたのも、その一つであった。

「むかし、僧院だったんだ」

フロントでチェックインしながら、良太が教えたが、中庭を取り巻く建物は重厚で、太い柱と高い天井がむかしの面影を残している。

が、案内された部屋はゆったりと広く、バスルームは近代的な設備がととのっている。

遅い昼食に町へ出た。

ここでは、パレルモのように声をかけられるということはなかったが、良太は狭い町を熟知していた。細い路地を器用に抜けてレストランへ行く。

レストランからも海がみえた。この町全体が崖に貼りついたようになっている。

断崖の上には道があって、レストランを中心にして右へ向えば、先程の僧院のホテル、左へ行くと岬が張り出したようになっていて、その崖の上に遺跡が眺められた。

「古代ギリシャ劇場の遺跡なんだ」

料理の出来る間に、良太が教えた。

「あの劇場は、エトナ山とイオニア海が背景になっているんだよ」

あとで散歩に行こうといいかけて、良太は浩子の顔色に気がついたようであった。

「なにを考えている」

浩子は軽く首をふった。

「別に、なにも……」

それでも、良太は少しの間、浩子をみつめていたが、急にポケットから茶封筒のようなものを取り出した。

「いいものをみせてあげようか」

写真のネガであった。その他に現像されたものが入っている。何気なくそれに視線をむけて、浩子はどきりとした。

見憶えのある写真ばかりであった。最初の一枚には三月五日と日付が入っている。成田空港のロビイで林きみ子が写っていた。二枚目が三月六日の日付、ペガサスリーフ・ホテルと横文字の看板の出ている建物の前で、林きみ子と、森田光照と。

「これ、林きみ子さんのカメラの写真じゃないの」

浩子の問いに、良太が軽く顎をひいた。

「いいからみてごらんよ」

慌しく浩子は写真をめくった。三月七日のものはキャンディのクィーンズ・ホテルの前、仏歯寺、キャンディ湖のほとり、植物園の風景。

どれも記憶があった。兄の彰一が荒木忠人からあずかって、浩子にみせたものである。

林きみ子が殺された部屋にあった写真で、たしか三十六枚撮りなのに三十一枚しかなく、おまけにネガは紛失していた。

今、レストランのテーブルの上にあるのは、ネガと、三十六枚の写真である。

「これ、いったい、どうして……」

浩子が再び訊ね、良太は煙草に火をつけた。

「君は、これを前にみたことがあるようだね」

「みたわ。でも、写真は三十一枚で、ネガはなかったのよ」

「食えない女だよ。林きみ子ってのは……」

苦笑が煙草の煙と共にひろがった。

「あいつは俺に、これを渡す前に、もう一組、別に現像しておいたんだ。その上、三十六枚の中から、五枚を抜いて捨てるか焼くかしたんだろうな」

「どうして、そんなことをしたの」

声が慄(ふる)えるのを、浩子は懸命におさえた。

「写真に注意をひかせるためだろう。彼女が殺されて、家の中のものが調べられれば、写真の入った袋も当然、改められる。三十六枚撮りのものがネガもなく、五枚分、紛失していたら、警察は不審に思うんじゃないか」

「良太さん、林きみ子さんを知っていたの」

「その件について返事をする前に、写真をみてくれないか」

三月五日が一枚、三月六日が八枚、三月七日が十一枚、三月八日が四枚、残りが三月九日であった。

どれもシギリヤロック附近である。

「よくみてごらん。その中に、君が今まで見ていない五枚がある筈だ」

良太に教えられるまでもなく、浩子は五枚をみつめていた。シギリヤロックの麓(ふもと)の駐車場のあたりである。車が何台か停っていた。バスと乗用車とジープと。

「カシムさんだわ」

ジープの運転台にカシムの顔がみえた。そのジープはどうやら、林きみ子たちが乗って来たバスのやや後方に停っている。

「それで……」

と良太がうながした。

「なにか、発見はないかな」

五枚の中の一枚は、ジープの運転席にカシムがいた。その前に停ったバスは今、到着したばかりで日本人の坊さんたちが三々五々、ステップを下りかけている。林きみ子は一番先にバスを下りて、あとから下りてくる人々の中にいる森田光照にむけてシャッターを切っている。次はバスの前に林きみ子が立っていた。バスの中の人は殆んど下りてしまっている。そしてジープはバックをはじめている。運転席から体を乗り出したカシムがバックする後方をみていた。更に三枚目の写真は、バスの正面のやや高い位置から林きみ子を撮っているのだが、よくみると駐車場の入口をジープが出て行くのがみえた。

四枚目は同じバスの前だが、時刻はかなりあとであることがわかる。シギリヤロックへ登って戻って来た人々が汗を拭いたり、ジュースを買って飲んでいるのが撮られているからであった。前の三枚の写真には写っていなかった乗用車がみえるのは、林きみ子たちがシギリヤロックへ上っている中に、そこへ駐車したものであろう。そして、バスの背後にジープはみえなかった。

五枚目は駐車場を出て行くバスの窓からシギリヤロックへむけてシャッターを切ったものである。画面の横をジープがすれちがって駐車場へ入って行くのが写っている。カシムの顔はよくみえないが、車のナンバープレートが写っていた。カシムのジープに間違いはない。

「どう、わかったかい」

良太が煙草を灰皿にすりつけた。

「あの日、僕らはカシムの運転するジープでハバラナ・ヴィレッジからシギリヤロックへ向った。駐車場で僕らは下り、カシムは車に残った。日本人グループのバスは僕らより一足遅れて駐車場に到着した。だから、バスの背後にジープがみえている。しかし、カシムは、そのあと車をバックさせ、駐車場を出て行った。帰って来たのは、日本人グループがシギリヤロックから下りて来てすぐの頃、そして僕らは、日本人グループよりも、だいぶあとからシギリヤロックを下りて来た。そして、その時、カシムはジープを前と同じところに停めて、僕らを待っていたんだ」

その通りであった。浩子は良太へうなずき、それから声をはずませた。

「カシムは、あたしたちを駐車場で待っていたんじゃなかったのね。あたしたちがシギリヤロックに登っている間に、どこかへ行って来たんだわ」

良太の眼の中に青い炎がきらめいたようであった。だが、浩子はそれをみないで、しきりに記憶をたどった。

「どこへ行ったと思う」

あの日、良太と共にハバラナ・ヴィレッジを出たのは、午前十時より少し前だったと思う。

ハバラナからシギリヤロックの入口まではざっと一時間、十一時にはジープを下りて山へ上って行った。そして、再び、ハバラナ・ヴィレッジへ戻ったのが午後二時すぎだったことから計算すると、浩子と良太がシギリヤロックを下りて、ジープの傍へ来たのは午後一時近くということになる。

およそ二時間が、良太と浩子がシギリヤロックで過した時間であった。

良太は浩子のために、ゆっくりと岩山を上った。途中では立ちどまってシギリヤロックの麓にある宮殿の遺跡を眺めたりした。

日本人グループは、良太と浩子のあとから到着し、途中で二人を追い抜いて行ったもののようである。

シギリヤレディの壁画の前でも、良太はかなり長いこと、丁寧に壁画の解説をしてくれた。それから頂上に登って、浩子は日本人の坊さんグループに出会った。シギリヤロックを下りるのは坊さんグループのほうが先であった。

なんにせよ、良太と浩子はシギリヤロックの往復に、たっぷり二時間をかけている。

「二時間で、どこへ行ったのかしら」

見当がつかなかった。

「二時間もあれば、かなりの可能性があるよ」

テーブルの上に、煙草の箱とライターをおいた。

「三好和彦が車のエンジントラブルをおこした場所だって、行って来られる」

「なんですって」

「ぎりぎりだが、ハバラナ・ヴィレッジも往復出来ないことはない」

「なんのために……」

「もう一つ、シギリヤロックの近くにはホテルが二つあるんだ。どちらも車で十分そこそこの近さなんだ」

あっけにとられている浩子の前で、良太が笑い声をたてた。

「カシムは、ホテルへ飯を食いに行ったのかも知れないよ」

その時、レストランのドアが開いた。女が二人、入って来る。

そっちをみた浩子が、思わず叫び声をあげた。

「佐知子さん……」

七

有沢彰一がパレルモの空港へ下りたのは、午前十一時であった。

空港のゲイトの前にはタクシーが数台、停っている。

出迎えの老母が、彰一と同じ便に乗っていた若者に抱きついていた。どこかへ出稼(でかせ)ぎにでも行っていたものか、日本人からみるとオーバーすぎる喜び方であった。

タクシーのところへ行き、彰一はパレルモのホテルの名前を告げた。運転手はうなずいて、ドアをあける。

彰一を乗せ、運転席へ戻る時に、別の一台のタクシーの運転手へむけて、軽く右手をあげてみせた。

その動作は彰一の視線に入っていたが、別にたいして気にもとめなかった。運転手同士の、ちょっとしたサインかと思う。

「俺には客がついたぞ」

「よかったな、しっかり稼いで来い」

そんなニュアンスでもあろうかと思う。

タクシーはブーゲンビリアの花の脇を走り出した。

一日前に、浩子が通ったのと同じ道である。

白い壁と赤い屋根の家並が続いていた。

車の走って行く前方の左手に岬が張り出していた。

岬の上は険(けわ)しい岩山で、石をけずり取ったようななめらかな岩肌に太陽が光っている。

道路標識をみると、パレルモの町はその岬とは逆の方角のようであった。

彰一は、ローマ空港で出迎えてくれた日本大使館員が、コロンボから高木保雄の打ったテレックスを渡してくれる際に、シシリーについて短かなアドバイスをしてくれたのを思い出した。

彼の説明によると、パレルモはいわゆるマフィアの本拠地ということであった。

マフィアの社会が町を支配し、警察や裁判官にまで影響を及ぼしている。それは不動産取引や政治にまで或る種のコントロールを行っているというのであった。

「マフィアというのは、最初はスペインとかフランスなんかの支配に対して、土地の人々を守るべく立ち上ったグループで、いわば、正義の味方の筈だったんですが、御承知のように、今は或る種のシンジケートでして……」

イタリヤ政府が手を焼いている相手であった。いや、そのイタリヤ政府ですら、マフィアに汚染されているとさえいわれている。

「とにかく、慎重に、充分、お気をつけていらして下さい」

ただし、マフィアは自分達に関係のない旅行者には、全く危険な存在ではないのだがとつけ加えたのは、有沢彰一の目的が、どんなことか見当もつかなかったからに違いない。

もし、有沢彰一が追っている男が、どういう人間かを、彼が知っていたら、驚愕(きょうがく)して彰一をひきとめたことであろう。

だが、彰一はローマを発って、パレルモへ入った。

高木保雄からのテレックスは、機内で読んだ。

なにもかも、彰一が考えた通りの報告であった。

コロンボからインド大使館の岡本に問い合せてもらった結果であった。

インドもスリランカも宝石が採(と)れることがよく知られている。

殊にスリランカはルビイ、サファイア、猫目石などの宝庫といわれているが、近年、その採掘量はかなり落ちていた。

有名なラトナプーラの採掘場も、掘り尽したのではないかといわれている。

ダイアモンドには、どんなに多く採掘されるようになっても、ダイアモンド・シンジケートがそれらを買い支えて、値崩れを防いでいるが、色ものの宝石にはそうした組織がなかった。

採掘量が少く、稀少価値があるためであった。

そのかわり、人工宝石という敵があった。ルビイもサファイアもエメラルドも、専門家でも見分けがつきにくい人工のものが出来るようになっている。が、人工といっても人工宝石として売る分には問題がなかった。

買うほうも人工宝石と承知の上で金を出す。

本物にくらべて安値であり、アクセサリィとしては、充分、たのしめるからであった。

けれども、人間の心理としては、偽物よりも本物を珍重し、大金を支払っても本物を持ちたいという願望には抗し難い。

その結果、偽物を本物として買い手を欺く商人があとを絶たない。

高木保雄のテレックスには次のように書いてあった。

「御依頼の一件は、やはりインドの某所にて行われていたものであります」

インドの或る地方、又、セイロンで採掘される、名もない白い石、それはどう磨いても宝石には縁遠い代物なのだが、硬度その他において、サファイアに酷似している。

その石に、或る方法で青い染色を行うと、みかけは勿論、少々の鑑定では判別のつかない偽物のサファイアが出来上るのであった。

石ころが、一カラット、何十万円もするサファイアに化ける。

彰一の瞼にバンコクでみた青い石が浮んでいた。

観光客を言葉巧みに誘って、割安で上等の宝石を売る店を紹介するといい、本物そっくりのサファイアを、何万、何十万、或いは何百万に売りつける。

売る相手は、外国人旅行者であった。品物は、大抵、ホテルの部屋などへ皮のケースに入れて持ち込まれる。

本国へ帰ってから、買い手が偽物と知っても、どうにもならなかった。それに、大方の客が、偽物を本物と信じ、大事に保管するか、自慢そうに身につけている。

本物でないとわかるのは、転売する時である。

ふと、彰一は前方にいやなものをみた。

愛蔵した青い石が偽サファイアと知れても、なす術もない。

車にひき殺された小犬の死体であった。

八

シシリーのタオルミナにあるレストランの地下室で、有沢浩子がみたものは、この世の地獄図であった。

小出佐知子は石の床にうずくまっていた。

パーマのかかっていないショートカットの髪が彼女のトレードマークのようなものであったのが、今は伸びるにまかせ、油気が失せて赤褐色になって肩にかかっている。もともと痩せぎすだったのが、一廻りも小さくみえるほど肉が落ちて、むき出しになった腕が骨ばって、しかもその青白い皮膚には無惨な注射の痕があった。

充血して焦点の定まらない視線も、ゆるんだ口許も、彼女が重症の麻薬中毒患者であることを如実に物語っている。

その小出佐知子は、和気良太に対して従順な犬であった。

「すわれ」

と命令されて、石の上に這いつくばい、

「食え」

といいながら、彼のさし出したチーズの切れっぱしを口で受け取った。

それまで、あまりの衝撃に口もきけないでいた浩子が愕然としたのは、良太が、

「脱げ」

と声をかけた時である。

小出佐知子は忽ち、スカートをはずした。ぶるぶる慄える手でブラウスのボタンをむしり取ろうとする。

「やめて、佐知子さん」

夢中で浩子は佐知子にとびついた。

「しっかりして、佐知子さん、あたしがわからないの、浩子です……あたしは有沢浩子……聞えますか」

だが、浩子は自分の言葉の虚しさを知っていた。このレストランに現われた時から、佐知子には、浩子がわかっていないのを、いやというほど、思い知らされていたからであった。

浩子がいくら呼んでも、手を握りしめ、肩をゆすぶっても、佐知子の反応はなかった。

佐知子がみているのは、和気良太だけであった。彼に体をすりつけるようにして甘え、媚を売り、哀願して薬を要求している。

これが、あの小出佐知子なのだろうかと眼を疑うほどの変貌であった。

聡明で行動力に富み、女だてらに射撃の名手で、明るく才はじけた彼女を知る者にとって、この変容はあまりにもむごたらしい。

良太が明らかに麻薬と思われる包を、傍にいたシンシアに手渡した。

「連れて行けよ」

シンシアがうなずいて佐知子の手を取った。

屠所に曳かれる羊のように、佐知子はシンシアについて行く。

地下室には、良太と浩子と二人だけになった。

地下室といっても、この建物は崖の斜面にあって、一階のレストランと同様、片側は海の見渡せる窓が開いている。

「あなたは、誰なの」

最初に出た浩子の言葉はかすれて低かった。

「いったい、なにをしている人なの。なんのために、こんな……」

良太が苦笑した。

「そう一ぺんには答えられないよ」

「和気良太というのは、偽名でしょう」

「そんなことはない。和気は僕の父の姓、良太は父が僕につけてくれた名前だ。しかし、シシリアンの養子に行った時にもらった名前はアントニオ・ジョリッティ、その他にいくつ名前があったのかな。青木健、陳健民、陳文威」

「なんですって……」

陳健民の名は兄から聞いていた。忘れもしない、ニューヨーク州ロングアイランドのモントークで小出玲子が訪ねて行った家、そこに住んでいたシンシアの夫の名が、陳健民であった。

「それじゃ、あなたとシンシアは……」

「シンシアは俺の部下、ついでにいうなら、スリランカのカシムも、僕の部下だ」

「スリランカ……」

突然、記憶が吹き出るように、陳文威の名前が浮んで来た。

「陳文威という人は、殺されたんだわ。スリランカのキャンディのホテルのアーケードの近くで……」

その夜、浩子は三好和彦とキャンディのクィーンズ・ホテルに泊っていた。殺人事件を知ったのは翌朝のことで、被害者の所持していたパスポートには、バンコク在住の華僑、陳文威の記載があった。

「あれは偽者だよ。僕のパスポートを盗んで、陳文威になりすましていたんだ」

「あなたに化けて……」

「そうだ。陳文威の名を使って、麻薬の密売をやっていた」

「麻薬ですって」

「陳文威というのは、スリランカの麻薬密売のボスなんだ」

「あなたが……ボス……」

「シシリアンの僕の義父は、マフィアの大幹部でね、僕も当然、その組織の中で働いている」

椅子から立ち上ろうとして、浩子はそのまま、石の床にすわり込んだ。ショックが体中の力を奪い去った感じである。

「今までの殺人は、あなたがやったの」

「僕が手を下したのもある、組織が殺ったのもある」

「三好和彦を殺したのは、あなただったの」

「その前に、みせるものがあるんだ」

地下室の奥の部屋へ良太が入って行った。古めかしい船員用の箪笥の中から皮袋を出してくる。浩子の眼の前で、その皮袋を逆さにした。青い石が、ばらばらと石の床の上にころげた。

「なんだと思う」

「サファイアじゃないの」

濃い青の石は、窓からの陽を受けて鮮やかに光った。どれも五カラットから八カラットぐらいの見事な石である。

「それじゃ、これをみて……」

ポロシャツの衿(えり)からのぞいていたプラチナのチェーンを良太は自分の首からはずした。その先に美しいマリンブルウのサファイアが下っている。

なんともいえない青であった。

海でいうなら、深海の青、空なら北国の晴れ渡った青。

「母の形見なんだ。母は父からこれを贈られた。僕にこれを渡した時、母はこういったんだ。いつか、僕の花嫁になる人に、幸せの心をこめて贈るように……」

良太の眼の中に、サファイアと同じ青い炎がゆらめいていた。

「サファイアの青は、僕にとって父と母なんだ。この青をみつめている時は、僕は和気良太になる。父と母の骨を流した海の色をみつめるのは、僕にとって故国をみつめることだ。青は僕にとって、永遠の夢、心のよりどころだったんだ。だから、青を汚す奴は許せなかった……」

皮袋から落ちた青い石をつまみ上げた。

「これは偽物なんだ。名もない白い石に青い染色を行って、インドの研磨師(けんま)がサファイアカットに磨き上げる。そいつを奴らの組織が世界中で売りさばくんだ」

大きな市場はブラジルと東南アジアで、その拠点となっていたのがニューヨークとバンコクだと、良太は言った。

「おまけに奴らの組織は、俺たちの組織へ割り込んで来た」

偽サファイアの売りさばきと同時に、麻薬にも手をのばした。

「秘密組織のルートというのは、大体が同じ線上にあるものなんだよ」

浩子の胸の中で小さな糸がほどけかかっていた。

夫であった三好和彦はスリランカに赴任する以前、インド駐在が長かった。そして、彼がインドにいた頃、書き上げた原稿の表題は「宝石物語」だった。

このことと、彼の死と、なにか関係があるのではないだろうか。

和気良太が、三好和彦を殺害したとしたら、それは、和彦が、青を汚したからに違いない。

「三好和彦はデリーにいた時分、一人の娘を強姦してみごもらせたことがあるんだ。その娘がシンシアの妹でね」

薄く陽のさしている窓辺へ行って、良太は浩子の背中をみつめるようにして話し出した。

「自分が馬鹿なことをしでかしたくせに、三好はスキャンダルを怖れた。そりゃそうだろう、仮にも外交官と肩書のつく人間が、素人の娘に暴行して妊娠させたと公けになれば、彼の将来は破滅するかも知れない。たまたま、彼は宝石に興味を持ち、サファイアの偽造グループと接近していた。その連中は、女の始末をひき受ける代りに、三好を仲間に入れた。つまり外交官の特権というものを偽造宝石の密輸に利用したんだ」

シンシアの妹は彼らの手によって、この世から姿を消した。

「僕はその事実を、偽宝石グループに入れておいたスパイから知ったんだ」

三好和彦のほうは、そんなことのあったインドを一刻も早く逃げ出したかったのだろう、上司に願い出て転勤を希望した。だが、次の転勤先は皮肉なことにスリランカであった。

スリランカは偽造サファイアのルートの中である。ここでも、彼はグループから協力を強制された。

一方、シンシアは妹の怨みを晴らすために和気良太に助けを求めた。

「シンシアと妹とは双児の姉妹なんだよ」

浩子がうなずいた。

「キャンディの植物園で、三好がみつけたのはシンシアさんだったのね」

植物園の中の小さなレストランで食事をする時、彼は広い園内のどこかにシンシアを発見した。

「彼は自分が始末した女に、双児の姉がいるとは知らなかったんだ。最初にシンシアをみた時、殺した女の幽霊かと思ったそうだ」

無論、良太がねらったのも、その効果であった。

「ハバラナ・ヴィレッジのロビイでも、俺達は、もう一度、その効果を確かめた」

暗がりに立っていたシンシアをみつけた三好和彦は動転し、冷静さを失った。

良太とシンシアの計画は翌日、実行に移された。

「俺達は、君と三好が別行動になるチャンスをねらっていた。車がぬかるみで動かなくなったことは、俺達にとって、実にラッキーなアクシデントだったんだ」

三月九日の朝、和彦はトリンコマリーから来た車の修繕屋と一緒にハバラナ・ヴィレッジを出て、車をおいて来た現場へむかった。

「あの、車の修繕屋というのは、カシムの友達でね、つまり、我々のスリランカにおける仲間の一人といったほうがいいんだが……」

彼の役目は、カシムが和彦を迎えに行くまで、現場へ和彦を足どめしておくことで、

「何故、そんな厄介なことをしたかといえば、あなたに僕らの犯行を気づかせないためだった」

キャンディの町の、骨董屋で、浩子と話をしてみて、良太は彼女の聡明さに気がついた。

「あなたを欺しおおすのは容易ではないと思った。それと、もう一つ、あなたの後には有沢彰一君がいる。彼が優秀なインターポールのメンバーであることを、僕らの仲間は知っていたからね」

三好和彦が変死すれば、当然、有沢彰一が事件にかかわってくるのは、わかり切ったことであった。

「俺達の持っているデータでは、有沢彰一は大変に妹さんを愛している。兄妹の仲がよすぎるために、どちらも結婚が遅れたという噂があるくらいだ」

良太がちらと腕時計をみ、話を続けた。

「ともかく、カシムは、僕があなたをシギリヤロックに案内している中にジープをとばして、事故現場へ行った。そして偽サファイアのグループの一人が、シギリヤ・ロッジで待っているとい

い、彼をジープに乗せて連れ出した。シギリヤ・ロッジというのはシギリヤロックから五分ばかりのところにあるホテルなんだ。そこにはシンシアが待っていた」

シンシアは、自分の妹がデリーで行方不明になっているといい、三好和彦に心当りはないかと訊ねるふりをして、彼に睡眠薬入りの飲物を勧めた上、もうろうとなった和彦をバスルームの水に顔を突っ込ませて溺死させた。

「それからカシムはジープを運転してシギリヤロックの駐車場へやって来て、あなたと僕を乗せてハバラナ・ヴィレッジへ戻った」

「待って……」

辛うじて、浩子は思考を働かせた。

「だったら、ポロンナルワのホテルへチェックインしたのは、三好じゃなかったんですか」

兄の彰一と一緒にポロンナルワのホテルへ行って確かめた限りでは、三月九日の午後八時すぎに三好和彦は一人で車でやって来て宿泊し、翌朝、ホテルの前の人工湖に死体で浮び上った。

「あの男は、僕なんだ」

良太がかすかに苦笑した。

「君はおぼえているか。君の御主人が帰って来ないのを探しに行くといって、僕が二度目にハバラナ・ヴィレッジを出たのは、夕方の六時すぎだったでしょう。あれから、僕とカシムはシギリヤ・ロッジへ行ってシンシアと三好の死体をジープに乗せた。シギリヤ・ロッジはやはりコテージ形式のホテルで、コテージのすぐ前に車がとめられるから、死体搬出はたいして手間もかからず、人目にもつきにくい」

　ジープはポロンナルワへ向った。

「途中にカシムの仲間が修理の終った乗用車に乗って待っている。君と三好がコロンボ大使館の高木保雄から借りてドライブ旅行に出かけた乗用車だ」

　良太は、死体になっている三好和彦とほぼ似たような服装をし、上着は三好和彦のを持った。サングラスも彼のをかける。

「日本人が、外国人である白人の顔がみんな似たりよったりにみえるのと同じように、ポロンナルワのホテルの連中は、日本人の顔の判別がうまくない。背恰好や年齢、服装、それに大体の感じが同じようなら簡単に欺される。おまけにあのホテルのフロントの照明はスリランカの一般のホテル同様、ひどく暗い。実際、彼らは翌日、死体で発見された三好和彦と、前夜にチェックインした僕とを同一人物と信じて疑いもしなかった」

　九時すぎ、小さな湖畔のホテル一軒の他は遺跡だけで、人家も程遠いというポロンナルワは闇の中であった。

　時間をみはからって、ジープを遺跡の中へとめたカシムと彼の友人とシンシアは、和彦の死体を湖へ捨てる。ホテルの部屋に和彦の上着や持物を残して、良太は裏から外へ出た。数人しかいない従業員は残らず自室へひき上げている。みとがめられる心配もなかった。

　トリンコマリーの町でタクシーを拾って、シンシアとカシムの友人はシギリヤ・ロッジへ戻り、良太とカシムはジープでハバラナ・ヴィレッジに帰りついたのが、午後十一時であった。

「あの晩も、夜明け近くから大豪雨だった。ポロンナルワのホテルの周辺も同様だったから、ジープのあとも、人間の足跡も、なにもかも雨が洗い流してくれた」

窓の外のブーゲンビリアの花が、かすかに揺れているのは、海からの風のためのようであった。レストランの地下だというのに、床が厚いせいか、階上の物音は全く聞えない。気がついてみると、窓も、特殊ガラスの二重構造らしかった。この家もマフィアの組織の中に違いない。

パレルモの町で、和気良太が多くの人々から陽気に声をかけられていたのを、浩子は思い出した。あれはみんなマフィアの仲間であり、良太が彼らの組織の大幹部の養子で、おそらく英雄的存在であればこそだったのだ。

「どうしたの。まだ、僕に訊きたいことがあるんじゃないか」

良太の声に、浩子は力なく顔を上げた。

「三好のことはわかったわ。でも、その他の人たちは……何故、あんなにも大勢の人を殺さねばならなかったの」

兄の彰一の言葉通りなら、今度の殺人事件は、キャンディの陳文威に始まって、三好和彦、ニューヨークの楊子春、それにロングアイランドでの小出玲子夫婦、清水の林きみ子、更に行方不明の森田光照、荒木忠人。

「それは、君のせい、というより、君が三好和彦の妻であったためなんだ。最初にいった通り、三好を殺せば、当然、その妻の兄さんである有沢彰一が登場する。いってみれば、俺と有沢彰一の闘いのためなんだ」

事件を解明しようとする有沢彰一と、そうさせまいとする和気良太と。

「僕が一番、手を焼いたのは、君の存在だった。君が、実に正確に、あの事件の周辺をみていたことだったんだ」

たとえば、楊子春だ、と良太はいった。

「あいつは、偽サファイアグループの一人なんだが、同時にスリランカにおける俺達の組織をぶちこわして、自分達が麻薬密売人と取引をしようと企てていた。スリランカの陳文威というのは、僕の別の名前なんだが、その名前を使って大麻の横取りを始めていた。キャンディのアーケードで殺された陳文威は俺の偽者だったんだ」

「殺したのは、あなたなの」

「いや、楊子春……」

殺された男の本名はアリパガというシンハリ人だといった。

「奴は俺の組織の下にいた。それが裏切って楊子春と組んだんだ。しかし、怖くなって結局、俺に助けを求めて来た。奴らが麻薬をどういう方法で国外に持ち出すかを教えるのを条件に、俺達の仲間へ戻りたいといって来たんだ。だが、それに気がついた楊子春が俺の名を使って、アリパガをアーケードに誘い出し、殺害して、ガネーシャの神像を奪って行った」

「ガネーシャですって……」

「奴らは、ガネーシャの神像の鋳型を造って、その空洞に麻薬をつめて運び出していたんだよ」

ガネーシャは象の顔をしたヒンズー教の神であった。胴体はでっぷりとして腹部が大きくふくらんでいる。

「それじゃ、キャンディであたしが買ったガネーシャは……」

「あれは違う、あれは本物の、百年前の美術品だった。あのガネーシャは、カシムが三好の死体を湖に捨てる時、おもしのつもりでつけて沈めちまったんだそうだ。もっとも、水の中でそいつは三好から離れて湖底にもぐっちまったらしいんだが……」

大麻入りのガネーシャは楊子春から森田光照へ渡ったといった。

「楊は俺達の追及を逃れるためにも、ガネーシャを自分が持っているのは危いと考えて、たまたま親しくなった森田光照にあずけた。森田は欲の皮が突っぱってるから、金になることなら、容易にひき受ける。しかし、世の中、狭いんだな、森田と一緒にスリランカ旅行に来ていた林きみ子って女を、俺とカシムは知ってたんだよ」

名古屋の大学に留学していて、よく行く店で林きみ子が働いていた。

「大学教授連中も顔を出す料理屋で、森田光照は林きみ子の紹介で大学教授の一人と知り合い、随分な金を使って息子を大学に入れたらしいよ」

林きみ子が光照の金で静岡に店を持たせてもらったのは、それがきっかけなのだが、

「それはとにかくとして、林きみ子は僕の顔も、僕のところへ仕事の連絡にやってくるカシムの顔も知っていたんだ」

シギリヤロックで、彼女がカシムの車にシャッターを押していたのは、半分は偶然だったが、半分はカシムの顔をおぼえていたからであった。

「あの女は、みかけによらず智恵が廻ってね。君が森田光照の件を調べに、彼女のところへ行ってから、彼女は彼女なりに当時のことをいろいろ考えて、あの日、俺があんたと一緒だったこと、カシムが駐車場を脱け出してどこかへ行って来たことに疑問を持ったらしい。もう一つ、まずかったのは、林きみ子が泊っていたシギリヤ・ロッジで、カシムとシンシアが話し込んでいるのを、彼女が目撃したことだ。それで、三好殺しと森田光照の行方不明に、俺達が関係しているのではないかと推量して、名古屋にいる俺の友人のところへゆすりがましいことをいって来た。その友人というのも、勿論（もちろん）、俺達の組織の一人だが、彼女の口から有沢彰一に有利な証言が出てはまずいという考えで、彼女を消した」

「それじゃ、荒木さんも……」

「彼のことは気の毒に思っているよ。殺すことはなかったのかも知れない。俺が、あの時、日本にいたら、他の方法を考えただろう。留守だったので、止むを得なかった」

どっちにしても、有沢彰一と対決の線上に出て来たのが不運だったと良太はいった。

「ニューヨークの殺人もそうだった」

仕事上の敵である楊子春殺しに、有沢彰一と小出玲子がやって来て、シンシアを目撃された。

「俺達の組織を守るためには、殺人も又、止むを得ない」

「森田さんも殺されたのね」

「楊子春がやったらしい。あいつらは、利用した人間も生かしてはおかないんだ」

浩子が立ち上った。

体中に、なんともいえない凄惨の気配がある。

「あたしに近づいたのは、三好を殺すため……そして、兄さんの動きを探るためだったのね」

良太は返事をしなかった。

窓の外の、遥かな海をみつめている眼の中からは、先程の青い光が消えて、どこかうつろな、寂しいものが浮んでいる。

「そう、割り切れればよかったんだが……」

彼らしくない調子であった。

緊張し、はりつめていた袋のどこかに風穴があいたような、おぼつかない雰囲気が、突然、彼を支配したふうである。

「人間ってのは、なかなか、思い通りに行かないものだな」

腕時計に視線が落ちた。

「俺が有沢彰一と闘わなけりゃならなかったのは、君があいつの妹だったからだ。あいつによって、俺の素性が暴露されたら、俺は君の前にいられなくなる」

壁ぎわへ歩いて行って、受話器を取り上げた。

イタリヤ語で短かく喋っている。やがて、切った。

「有沢彰一は、パレルモからこっちへ向っているよ。今、カタニアを通過したそうだ」

蒼白になった浩子をみつめた。

「君を俺から奪い返すために、彼はコロンボからやって来た。カシムの報告だと、コロンボで拳銃を用意したそうだよ」

「兄さんを、殺すの」

「やられるのは、俺かも知れない」

「逃げて下さい」

声が上ずるのを、浩子はどうしようもなかった。唇が慄え、今にも言語障害を起すのではないかと思われた。

「逃げて下さい。兄さんには、あたしから話をします」

「彼は、俺を逮捕に来たんだよ。インターポールとして、麻薬密売人のボスをとっつかまえに来た」

「無理よ」

浩子の眼から涙がふき出した。

「ここはシシリーじゃない、マフィアの本拠で、あなたはその組織の人なんでしょう。兄さんが生きて帰れると思う」

「有沢彰一ってのは、尊敬すべき日本人だよ。奴は、そんなことは百も承知で、君をとりかえしに来るんだ。奴は日本人として、日本人の俺を逮捕に来る」

良太の眼の中に、再び、青い炎が燃え上ったのを浩子はみた。

「だから、俺は日本人、和気良太としてあいつと闘うんだ。シシリアンのアントニオ・ジョリッティじゃない。陳文威でも、青木健でもない。父が俺につけてくれた和気良太の名において、有沢彰一を迎えるんだ」

「なぜなの」

浩子の眉が寄っていた。唇が半びらきになって、眼を細めた。

「どうしてそんなことを……」

良太の手がのびて、浩子は彼の胸の中で息がとまるほどに抱きしめられた。避ける意志も力もなく、唇がかぶさってきて、それは狂ったように浩子を蹂躙して行った。

「君は、おぼえているか、僕がシギリヤロックで話したことを……」

息をはずませ、浩子を石の床の絨毯の上に組み敷きながら、良太がいった。

「シギリヤロックの山上に難攻不落の要塞を築いたカッサパ王が、何故、自分に有利で安全な城を出て、野戦をし敗死したか、そしてシギリヤレディたちが、何故、泣いたとも笑ったともつかない表情で、あの岩山の壁画に描かれているのか、その理由が知りたいといったこと……」

浩子は眼をあけて、良太をみつめていた。

その通りであった。シギリヤロックで、良太はそのあとの言葉を風に吹きとばした。

「男は、本当に愛した女の前では、故意に不利な戦いを挑むものではないのか。相手の男が、愛している女にとって、かけがえのない存在だと知っていたら、たとえば、自分にもっとも安全な方法で彼を殺してしまったらいいとわかっているくせに、その卑怯を自分に許せない。命をかけても、愛した女に笑われない戦いをしてみせたい。馬鹿げたヒロイズムであったとしても、それが自分の愛への真実なのじゃないか」

良太が浩子のしなやかな肉体を抱きすくめた。二人の肉体はすでに結び合って、感覚は次第に透明なものになって行った。

「女はどうするんだ。愛した男と、かけがえのないもう一人の戦いを、泣くのか、笑うのか、どっちが死んでも、生きても……浩子はどうなるんだ」

良太が泣いているのを、浩子は知った。

苦悶する恋人を浩子も強く抱いた。

「あたしを殺して……」

歓喜の中で、浩子が口走った。

「殺して欲しい……」

それは性に燃え尽きて行く最後の悲鳴のようであった。

九

パレルモからシシリー島を横断するハイウェイを、有沢彰一は二時間半でカタニアにたどりついた。

シシリーに入った時から、彰一は自分の周囲に和気良太の意志を感じていた。

彼が自分をどこへ呼びよせようとしているのかは、パレルモのホテルについた際に見当がついた。

ホテルの玄関には一台の車が用意されていた。知らない者がみたら、決してマフィアグループの要員とは信じられないような優しい、おだやかな眼をした中年の男が、車のキイと地図を渡してくれた。

「アントニオがタオルミナで待っている。早く行ってやってくれ」

達者な英語でいわれて、彰一も英語で訊ねた。

「君は……」

「ドン・ペテロ。彼の友達だ」

格子のシャツに皮のベスト、その上にやはり、皮の上着。

なんでもない日常着だが、彰一は彼の腰の重さから、少くとも二丁の拳銃が、彼のベルトにかくれているのを知った。

彼も、ホテルのフロントも、下手をすると空港からここまで乗って来たタクシーの運転手も、和気良太の友達、に違いない。

彰一はイタリヤ製のスポーツカーに乗った。ガソリンは満タンになっている。

「この道をまっすぐだ。やがて標識がある」

ペテロが大声で教えた。それに手をあげて、彰一は車をスタートさせた。

時計はすでに正午に近い。

タオルミナになにが待っているのか、それを考えても無駄だと悟っていた。

ここはマフィアの領土であった。そして、彰一が逮捕にむかっている相手は、彼らのグループで「英雄」と呼ばれている男である。

無謀は承知であった。インターポールを動員したとしても、歯の立つ相手ではなかった。逮捕にむかう前に、組織が、彼を安全な場所に逃がしてしまう。

彼らの組織が、政治、経済、警察のあらゆる分野に入り込んでいるのを知らないわけではない。妹を助け出し、和気良太を逮捕するのに、誰の手助けも借りなかったのは、その時間的な余裕もなく、効果も期待出来なかったからである。

幸か不幸か、和気良太は自分の来るのを待っているらしい。

気になることは、いくつもあった。

和気良太は、妹を人質にとっている。それに、万に一つ、良太を逮捕したとしても、その結果、浩子がどんなショックを受けるか、良太の正体を知った妹の打ちのめされた顔が瞼に浮んでくる。浩子が良太を愛しているのは、わかっていた。おそらく、妹にとって、はじめての愛ではないかと想像もつく。

それだけに不憫であった。彼女の愛した男は犯罪者であった。

良太の側に、いくつかの同情すべき理由があったとしても、人間の規律は守らねばならない。

が、現実には、そんなことを考えている自分が果して、生きてこの国を出られるかどうか、期待は出来なかった。

それも止むを得ないと思う。

この事件に関する報告書は、コロンボからの機内でまとめ上げ、ローマの日本大使館を通じて日本へ送られるようにして来た。

有沢彰一がシシリーで死んでも、事実は明るみに出る筈であった。せめて、それだけをたよりに瞑目するしかない。

車はカタニアから海岸線を走った。左手にエトナ山が大きな山容を時々、みせてくれる。

タオルミナへ入ったのは、午後四時であった。

イオニア海沿いのハイウェイを出て、山道にかかる。坂の下を鉄道が走っていた。そのむこうの海は、やや輝きの薄くなった太陽の下で青が白っぽくぼけている。

遠く、船影が一つ。

車の中で、彰一は背広の中で肩から吊っている拳銃の位置を直した。

タオルミナの町は、かなり小高いところにあった。

中央の広場は石畳で中世の面影がある。

そこで車を下りた。

パレルモでドン・ペテロは、タオルミナのどこへ行けともいわなかったが、おそらく、町に立てば、むこうから接触がある筈だ。

果して、一人の老人が近づいて来た。

黙って一通の封書を渡す。

レターペーパーに、男の文字があった。

劇場跡にて待つ

和気良太

有沢彰一どの

劇場跡というのは、タオルミナにある古代ギリシャ時代の劇場の遺跡だろうと思った。

老人が彰一を招いた。

そこは広場の見晴し台であった。

低い石垣の前に立つと海が見渡せる。大きな入江で左右に岬がせり出していた。

老人が左手の岬を指した。そこに、古代ギリシャの遺跡がみえている。

広場からは、石畳の道が弓なりに続いていた。

礼をいい、彰一は歩き出した。

陽は西に傾き、広場の通りは、建物のかげになったところだけ、ひんやりと小暗くなりかけている。

商店の並んでいる道はすぐに尽きた。その先はカーブして岬へ向っている。

ブーゲンビリアの花が、どこにも咲き乱れていた。濃いピンク、オレンジ、そして赤。

岬の道は片側が海へ向ってけずりとったような断崖(だんがい)で、もう一方は遺跡へ続く石垣になっていた。

断崖の下の入江のむこうには、エトナ山が薄く雪をかぶっている。

ここへ来た目的を考えなければ、実に風光明媚(めいび)な土地であった。

石垣のふちに老婆がオレンジの入った籠(かご)をおいてすわり込んでいた。

咽喉(のど)がひどく乾いている。彰一はオレンジを三個ばかり買った。皮をむいて口へ放り込む。甘酸(あまず)っぱさが、実に美味であった。三個目をかじりながら、劇場跡へ入る。

入ってみて気がついたのだが、この古代ギリシャの劇場は、舞台に当る部分が、たった今、彰一の登って来た道と背中合せになっていることであった。

つまり、彰一は舞台の裏を通って、劇場の客席の横へ来た恰好(かっこう)になる。

そのステージに当るところには円柱が三、四本並んでいた。舞台の中央はすっぽり崩れてしまって、その間からイオニア海と遥かなエトナ山がみえる。

いってみれば、この劇場はエトナ山とイオニア海を背景にしていた。海の青と、山の上の広い空の青と。

半円型の客席の高い部分に立って、彰一は暫(しばら)く、この自然と石の文化のかもし出す、不思議な雰囲気にみとれていた。

彼の足許(あしもと)には雑草が黄色い花をつけ、その草の根をかすめてとかげが走っている。

天と地と、その間に立っているのは有沢彰一だけのようにみえた。

だが、彼の眼は正面の舞台の上手(かみて)の石積みのかげに人の気配があるのをみとめていた。

かくれているのではなく、その人影も円柱を背にしてエトナ山を、イオニア海を眺(なが)めている。

「和気良太か」

客席から、彰一が呼んだ。

「浩子はどこにいる」

その声にうながされたように、石垣の横から女が三人、姿をみせた。

一人は浩子、もう一人はシンシア、そして三人目が、

「佐知子さんか……」

舞台の上から、良太が佐知子を呼んだ。

「俺の命令だ。あの男を撃て……」

佐知子がゆっくりした動作で、顔を上げ、客席の上に立っている彰一を見上げた。距離にして、およそ百数十メートル。

「佐知子さん……」

浩子が佐知子にすがりついた。

「思い出して……兄さんが来たのよ。彰一兄さんがあそこに……、佐知子さん、思い出して……あなたは兄さんの婚約者……」

シンシアが浩子を押しのけた。彼女の手から、重い女物の拳銃が佐知子の手に渡る。

「和気……」

彰一がどなった。

「卑怯な真似をするな。日本人なら日本人らしく……」

「俺はシシリアンだ」

良太が、はね返した。

「シシリアンに、卑怯なんて言葉はない」

「貴様……」

逆上するまいと思いながら、彰一は叫んだ。

「よくも、妹を……、よくも、俺の妹を」

ぶっ殺してやる、という言葉のかわりに手が拳銃へかかった。

「佐知子、撃て」

良太の声と同時に、佐知子の銃身が上った。

「佐知子さん……」

浩子の悲鳴はシンシアが突きとばした。

銃声はとどろいたが、よろめいたのは和気良太であった。

彼のおさえた肩から血が流れ出している。

彰一の拳銃からは、弾は発射されていなかった。

撃ったのは佐知子であった。シンシアが佐知子にとびつくようにして彼女の拳銃をたて続けに撃った。

「兄さん」

浩子が彰一へむかって走り出していた。妹が撃たれると思い、彰一は拳銃をかまえて、浩子へ移動した。

だが、良太は浩子を撃たなかった。彼の右手のコルトは彰一へむけられてはいたものの、それは自分を守るためのもののようであった。

シンシアが良太へかけよって行った。

「負けたな、俺は……」

良太が苦笑したようであった。

「てっきり、佐知子は正気を失ったと思っていたんだ。欺されたな」

シンシアが銃口を彰一へむけるのを遮った。

「勝負は終ったんだ。逃げよう。下手をすると命とりになる」

上体がふらつくのを、シンシアに支えられて舞台を下りる。

「動くな」

「妹さんをたのむ」

良太とシンシアの姿が円柱のむこうへのみ込まれたようにみえた。

「兄さん」

遮二無二、浩子が彰一にすがりついた。

「撃たないで……、良太さんを助けて……」

彰一は黙って妹を抱きしめた。良太を撃つ気は、最初からなかったのだと、改めて気がついていた。

誰もいなくなった舞台のむこうに、夕陽を浴びたエトナ山が立ちはだかっている。そして、金色に輝く夕映えの海が。

十

おそらく、マフィアのグループがただでは帰すまいと思っていた彰一だったが、それは全く、あてがはずれた。

彰一が浩子と共にかけ寄った時、小出佐知子は心臓を撃抜かれて絶命していたが、その表情はどことなく満足そうにみえた。

そして、タオルミナの救急車が来た。佐知子の遺体は救急車に収容され、病院へ運ばれたが、医師の手当は全く無駄であった。

有沢彰一は、タオルミナの警察へ連行されて、一応の取調べを受けた。が、別に身柄を拘束されることもなく、浩子と共にホテルで連絡が来るまで待つようにといわれた。

ホテルでの扱いも悪くなかった。

彰一としては、いつ、マフィアの報復があっても仕方がないと覚悟をしていたのだが、その気配もなかった。

二日後、ローマの日本大使館から迎えが来た。

「貴君の妹さんを誘拐し、婚約者を射殺した男は、すでに国外に逃亡したそうだ。イタリヤ警察としては、無論、逮捕に努力するが、今のところ、なんの手がかりもない状態なので、とりあえず、君には帰国してもらいたいということだね」

その日の中に、彰一は浩子と共に小出佐知子の遺骨を持ってローマに移動した。

日本へ発ったのは、更にその翌日のことであった。

ローマからの便は南廻りであった。

スリランカには寄港しないが、サウジアラビヤのジュッダからバンコクへ向う途中はインド洋上空を通過する。

浩子は窓辺にもたれるようにしてインド洋を見下していた。

ちょうど夜明けの海であった。

晴れていて、時折、流れて行く薄い雲の下に、染まるほど青い海原が広がっている。

青を汚す者は許せないといった和気良太の声を浩子は思い出していた。

彼にとって、母の形見のサファイアは祖国であった。

日本人に生まれながら、日本人として生きることの出来ない彼にとって、青は心のよりどころに違いない。

青を冒瀆した者を誅した和気良太は、その結果として、有沢彰一に闘いをいどむことになった。

そのことを、有沢彰一は、もう知っている。

「兄さん……」

夜明けの海をみつめたまま、浩子はそっと隣席の兄に呼びかけた。

「どうして、兄さんは、良太さんを撃たなかったの」

タオルミナの劇場跡で、どんなに浩子がとめたところで、兄の彰一は、その気になれば良太へ発砲するのは可能であった。

インターポールにあって、射撃には自信のある兄である。

すでに佐知子によって、肩に銃弾を受けていた良太は、彰一に抵抗するのは無理であった。良太とシンシアを射撃することも、或いは重傷を負わせて逮捕することも、あの場合の彰一には決して出来ないことではなかったのだ。

「あたしが、かわいそうだったから……」

彰一が妹をみた。

「それもあった。だが、俺は、どうしても、あいつが憎めなかったのかも知れない」

大事な妹を犯し、婚約者を癈人にし、死にいたらしめた相手であった。憎んでも憎み足りない。実際、今でも許せないと思っている。

にもかかわらず、彰一のどこかで、彼に共感するものがあった。

「俺も、あいつのような立場に生まれたら、あいつと同じことをやっているかも知れないいんだ」

そう思うことは、死んだ佐知子にすまないと彰一はいった。

「佐知子さんは、最後まで優秀な警察官だった。俺が自分を省みて恥かしくなるくらい、堂々たる婦人警官だったんだ」

麻薬にむしばまれながら、遂に麻薬に負けなかった。従順を装い、相手の奴隷になりながら生き続け、時を待った。

それは、鉄の意志であった。

「俺に、佐知子さんの真似が出来るかどうか」

「あたしのために、兄さんを不幸せにしてしまったと思うの。佐知子さんにも、玲子さん夫婦にもすまなくて……」

「それを考えるのはやめたほうがいい。俺も佐知子さんも、警察官としてしなければならないことをしたにすぎないんだから……それに、一番、大きな代償を支払ったのは、多分、浩子自身なんだ」

浩子はもう一度、インド洋をのぞいてみた。

海の青は朝陽を受けて、その表面を黄金に染めつつあった。

海には国境がないといった良太であった。亡命者である両親の骨を海へ流し、帰りたければ日本の岸へ流れつくだろうと話した良太も、どこかでこの海を眺めているかも知れないと思う。スチュアデスが朝食のお盆をくばって歩いてきた。

＊　＊

ニースの海は、水平線のほうから明るくなって来る。

病院のベッドの上から、良太は窓越しの地中海をみていた。

この病室には花が多かった。連日、違った顔の女客が見舞に来て、花籠(はなかご)をおいて行く。

それらは夕方になると看護婦が残らず部屋の外へ出してしまうのだが、一つだけ小さな花瓶(かびん)が病人の希望でサイドテーブルに残されていた。

白いプルメリアの花が青い花瓶にいけてある。良太自身が、この病院の庭に咲いているのを折って来たものである。

プルメリアは、スリランカではテンプルフラワーと呼ばれ、仏に捧げる花であった。

はじめて、キャンディの仏歯寺(ぶっしじ)で、有沢浩子に出会った時、彼女の後のテーブルに山のように飾られていたのが、プルメリアの白い花だったと思う。

あの出会いの時から、良太は浩子を愛していたと思う。これから殺さねばならない男の新妻を愛してしまった時に、二人の傍(そば)でプルメリアの花が馥郁(ふくいく)と匂っていたのを、今の良太は甘酸っぱい感傷の中で思い出していた。

朝になると、病室には入れかわり立ちかわり、女たちがやって来た。

良太にとっては、各々にかかわりのある女たちであった。一日中、良太は彼女たちと適当な冗談をいい、見舞の果物を食べ、笑い声をあげる。

「いっそのこと、肩じゃなくて、心臓をぶち抜かれたらよかったと思っているんだよ。俺の心臓からは、多分、まっ青な血がふき出して、それは天へかけ上って、新しく生まれる俺の心臓に入る、そうやって再生した俺は東洋の小さな国で、気が強いくせに、涙もろい、かわいくてたまらないような女の子を女房にして、平穏無事な一生を過すんだ。麻薬とも拳銃とも、全く無縁の世界でね」

女たちの嬌声がひとしきり高くなり、ニースの海岸を見渡せる病室の中は、いつまでも賑やかであった。

そういう時の良太は、青を忘れたような顔をしている。

解説

権田萬治

平岩弓枝の長編『青の伝説』（昭和六十年二月）は、『青の回帰』（同年五月）、『青の背信』（同六十一年六月）と続く〝青の三部作〟の第一部として刊行された国際的なスケールのミステリー・ロマンである。

平岩弓枝はよく知られるように、『大衆文芸』昭和三十四年二月号に掲載した短編「鏨師」によって、二十七歳の若さで第四十一回の直木賞を受賞して文壇にデビューした、安定した筆力を持つわが国の代表的な女流作家の一人である。

昭和七年東京・代々木八幡神社の宮司の一人娘として生まれた氏は、日本女子大国文科を卒業後、戸川幸夫に師事した。昭和三十三年からは長谷川伸の主宰する『新鷹会』に参加して創作活動を展開したが、初期の作品は、「つんぼ」、「神楽師」、「狂歌師」、「狂言師」など、いずれも日本の伝統的な芸能に関わる世界を描いた芸道小説的なものが多かった。

これは生家に江戸文化、江戸文学の資料が多くあり、子供のころからそういう世界に親しんで来たためだった。

江戸への関心と知識を生かして、平岩弓枝は昭和四十八年二月から、御宿かわせみシリーズの執筆を開始した。江戸大川端、柳橋のはずれにある小さな旅籠「かわせみ」を主要な舞台に、北町奉行所の与力の家に生まれた神林東吾と、東吾と恋仲の「かわせみ」の女主人るい、二人の仲を暖かく見守る与力の兄夫婦や東吾の友人の八丁堀定廻同心の畝源三郎などの動きをからめて、江戸の下町で起こるさまざまな事件と人間模様を情緒豊かに描き出した新趣向の捕物帳である。岡本綺堂の『半七捕物帳』をはじめ、野村胡堂の『銭形平次捕物控』など、江戸を舞台とした捕物帳は数多く書かれている。が、神林東吾とるいのしゃれた関係や、このようにさまざまな人の出入りする旅籠を巧みに舞台に取り入れた、いわゆる〝グランド・ホテル〟形式など、御宿かわせみのシリーズには、これまでの捕物帳にない新鮮な試みがある。また、江戸時代の交通路として重要な川を自然な形で描いているのも目新しい。

こういう時代小説と並行して、著者は『女の顔』、『おんなみち』など数多くの現代小説を書いているが、それらの中で、この〝青の三部作〟をはじめ『葡萄街道の殺人』(昭和六十一年二月)などの一連のミステリー・ロマンの試みは、平岩弓枝の作品系列の中でも新しい流れをなすものといえよう。

『青の伝説』は、スリランカのコロンボにある日本大使館に勤務する外交官の三好和彦と結婚した妻の浩子が現地での新婚生活一ヵ月目に、夫と旅行に出掛け、殺人事件に巻き込まれるという物語である。

二人が泊まったセイロン最後の王朝のあった古都キャンディの町で殺人事件が起こった。被害者は日本人ではないかといわれたが、休暇旅行に出掛けたこの一週間、夫の和彦の様子がどことなくおかしいように浩子は感じた。この事件の直ぐ後、二人はハバラナに車で行く途中、スコールに遭い、ぬかるみで車が動かなくなっているところを仏歯寺で会った名古屋の大学で文化人類学を研究している和気良太に助けられた。

翌日、和彦は置き去りにした車を取りに出掛けたが、その後行方不明になり、やがて、ポロンナルワの湖上で水死体となって発見された。現地にやって来た、浩子の兄で、警察庁国際刑事課に所属する有沢彰一は、必ず和彦を殺した犯人を捜し出す執念の調査を開始する。

やがて、浩子がキャンディの町で買った象神像が和彦とドライブを続けていた車のトランクから何者かに奪い去られていたことがわかり、その象神像と怪しい坊主姿の楊子春という人物を追って有沢彰一はニューヨークへ飛ぶが、目指す人物は何者かに殺されていた。このように、『青の伝説』の特徴は、まず第一に、殺人事件の起きる舞台がスリランカ、ニューヨーク、ロングアイランド、シシリーなど国際的なスケールで目まぐるしく変わる点にある。

日本でこういう国際的な舞台設定のミステリーが書かれるようになったのは、生島治郎の『黄土の奔流』（昭和四十年）、五木寛之の『さらば、モスクワ愚連隊』（昭和四十一年六月）、『蒼ざめた馬を見よ』（同年十二月）あたりからで、これらの作品は純粋な意味での推理小説とはいえないが、ミステリアスな味の漂う点ではいわば先駆的なものといえそうである。ミステリーとしては、松本清張の『アムステルダム運河殺人事件』（昭和四十四年四月）、『セントアンドリュースの事件』（同年十月）が恐らく最初の試みではないかと思うが、このあたりから、次第に国際的な視野に立つ推理小説が多くなって来る。

やがて、日本人が一人も姿を見せない国際サスペンス小説として話題を呼んだ直木賞受賞作の中村正軏の『元首の謀叛』(昭和五十五年)ころから、赤羽堯、船戸与一、森詠、谷恒生、逢坂剛など、国際的な舞台に冒険を繰り広げる冒険小説の若い旗手が相次いでデビュー、日本の推理文壇に新しい流れを生み出した。

しかし、冒険小説は別として、日本の国際的なスケールのミステリー・ロマンとか国際色豊かな本格推理小説ということになると、数はぐっと少なくなる。特に、ミステリー・ロマンというと、森村誠一の『星のふる里』(昭和四十七年)や最近の例で、夏樹静子の『わが郷愁のマリアンヌ』(同六十一年)くらいしか見当たらない。

その意味で、平岩弓枝の〝青の三部作〟は、なかなか野心的な試みといえるだろう。

実はこの〝青の三部作〟の第一部とされる『青の伝説』よりも、第二部の『青の回帰』の方が、先に執筆された。

『青の回帰』は、トルコのアンカラ支店に臨時に勤務している商社員の三田村五郎と、アナトリア高原で出会った有名な女優石河永子との情事、永子の夫で現地で仕事をしている絵描きの権藤浩太郎の前の妻との間に生まれた娘笙子との恋などを描いた現代小説で、この作品自体はミステリー・ロマンとは必ずしもいえないが、結末にはちょっと暗い殺意の影が横切る意外性がある。

とにかく、作者はトルコを訪れた時、カイセリで作られたピュアシルクの青い模様のカーペットに強い衝撃を受けたという。

「青は静寂の色です。イスラムでは天国を、死を意味するといいますね」と主要登場人物の権藤浩太郎は作中で語るが、この〝青〟が『青の回帰』では、画家の権藤の絵の中にも生かされて、この作品の主題にもなっている。

平岩弓枝はこの『青の回帰』を書いた後、〝青〟にとりつかれ、三つの作品を〝青〟で統一することを思い付いたという。

このように、『青の伝説』に始まる〝青の三部作〟の第二の特徴は、青という色がすべての作品で大きな役割を果たしていることである。

この『青の伝説』の〝青〟は、宝石のサファイアの青であり、深海の青であり、主人公にとって、かけがえのない永遠の夢、心のよりどころとして描かれている。

そしてそれが犯人の犯罪動機にも深い所で結び付いていることが結末で明らかになる。

『青の伝説』には、元外交官で無国籍者になった日本人の両親の間に生まれ、シシリアンとして成長した男が主要登場人物として現れるが、作者によると、この人物には実在のモデルがいるという。

この人物の話を聞き、実際に目にしたシシリーの海の青に魅せられた時、この『青の伝説』の着想が生まれたわけである。

第三部の『青の背信』では、木ノ葉天目の茶碗の黒と青、北の海の青、中国の青磁の青、ミステリアスな幻の女が全裸で飛び込む月の光で光る青いプールなど全編に青がちりばめられている。

どうやら〝青〟は、平岩弓枝の心をしっかりと捉えてしまったらしい。

アメリカのコーネル・ウールリッチは、『黒衣の花嫁』、『黒いカーテン』、『黒いアリバイ』、『黒い天使』など多くの作品の題名を〝黒〟で統一し、〝黒〟のウールリッチと呼ばれたが、平岩弓枝はその意味では、〝青〟の弓枝と呼ばれることになるかも知れない。

アメリカのハードボイルド派の最後の巨匠ロス・マクドナルドも、〝青〟が好きだった。『ブルー・シティー』、『ミッド・ナイトブルー』、『ブルー・ハンマー』など、青の入った題名の作品がある。

平岩弓枝のこれらの〝青の三部作〟に共通しているもう一つの特徴は、いずれも結末の意外性が豊かであるということである。

私は、平岩弓枝の初期の作品を今回改めて読み返して、この作家はもともとミステリー的な要素を内に秘めていたのだと痛感した。

例えば、直木賞を受賞した『鏨師』は、名刀虎徹の真偽をめぐって、偽銘切りの父娘と鑑定家の対決を描いた作品で、意外性も豊かな秀作だが、この偽銘切りを犯人、鑑定家を名探偵と考えれば、まさにミステリーといってもおかしくない。このほか、初期の芸道小説は、結末の意外性を重視した作品が多く、平岩弓枝には、もともとミステリー的なものを取り入れる作家的な資質が潜んでいたのではないかというのが私の考えである。

とすれば、この作家が、「御宿かわせみ」のような優れた捕物帳を書くのも、〝青の三部作〟のような国際ミステリー・ロマンの試みに挑戦するのも必然の成り行きなのである。その意味で、この〝青の三部作〟は、今後の平岩弓枝の新しい作家的展開を作る可能性を秘めて注目すべき試みといえそうである。

（評論家）

本書は一九八五年二月に小社より刊行されました。

青の伝説
平岩弓枝

1988年1月15日第1刷発行
1992年12月4日第14刷発行

発行者——野間佐和子

発行所——株式会社 講談社

東京都文京区音羽2-12-21 〒112-01

電話 出版部 (03) 5395-3510
販売部 (03) 5395-3626
製作部 (03) 5395-3615

Printed in Japan

落丁本・乱丁本は小社書籍製作部あてにお送りください。送料は小社負担にてお取替えします。なお、この本の内容についてのお問い合わせは文庫出版部あてにお願いいたします。 (庫)

ISBN4-06-184141-6

講談社文庫
定価はカバーに
表示してあります

デザイン——菊地信義
製版——豊国印刷株式会社
印刷——豊国印刷株式会社
製本——株式会社大進堂

講談社文庫刊行の辞

二十一世紀の到来を目睫に望みながら、われわれはいま、人類史上かつて例を見ない巨大な転換期をむかえようとしている。

世界も、日本も、激動の予兆に対する期待とおののきを内に蔵して、未知の時代に歩み入ろうとしている。このときにあたり、創業の人野間清治の「ナショナル・エデュケイター」への志を現代に甦らせようと意図して、われわれはここに古今の文芸作品はいうまでもなく、ひろく人文・社会・自然の諸科学から東西の名著を網羅する、新しい綜合文庫の発刊を決意した。

激動の転換期はまた断絶の時代である。われわれは戦後二十五年間の出版文化のありかたへの深い反省をこめて、この断絶の時代にあえて人間的な持続を求めようとする。いたずらに浮薄な商業主義のあだ花を追い求めることなく、長期にわたって良書に生命をあたえようとつとめるところにしか、今後の出版文化の真の繁栄はあり得ないと信じるからである。

同時にわれわれはこの綜合文庫の刊行を通じて、人文・社会・自然の諸科学が、結局人間の学にほかならないことを立証しようと願っている。かつて知識とは、「汝自身を知る」ことにつきていた。現代社会の瑣末な情報の氾濫のなかから、力強い知識の源泉を掘り起し、技術文明のただなかに、生きた人間の姿を復活させること。それこそわれわれの切なる希求である。

われわれは権威に盲従せず、俗流に媚びることなく、渾然一体となって日本の「草の根」をかたちづくる若く新しい世代の人々に、心をこめてこの新しい綜合文庫をおくり届けたい。それは知識の泉であるとともに感受性のふるさとであり、もっとも有機的に組織され、社会に開かれた万人のための大学をめざしている。大方の支援と協力を衷心より切望してやまない。

一九七一年七月

野間省一

講談社文庫　目録

原　百代　武則天　全八冊
林　真理子　星に願いを
林　真理子　テネシーワルツ
林　真理子　幕はおりたのだろうか
林　真理子／山藤章二　チャンネルの5番
橋田壽賀子　女たちの百万石
長谷川慶太郎　強い「個性」の経済学
羽佐間正雄　実力とは何か
早坂　暁　公園通りの猫たち
原田宗典　スメル男
平岩弓枝　おんなみち　全三冊
平岩弓枝　花嫁の日
平岩弓枝　結婚のとき
平岩弓枝　結婚の四季
平岩弓枝　わたしは椿姫
平岩弓枝　花祭
平岩弓枝　青の伝説
平岩弓枝　青の回帰　全二冊
平岩弓枝　青の背信

広瀬仁紀　株価操作
広岡達朗　意識革命のすすめ
広岡達朗　積極思想のすすめ
広岡達朗　勝者の方程式
樋口修吉　ジェームス山の李蘭
東野圭吾　放課後
東野圭吾　卒業
東野圭吾　学生街の殺人
東野圭吾　魔球
東野圭吾　浪花少年探偵団
東野圭吾　十字屋敷のピエロ
東野圭吾　眠りの森
広瀬　隆　億万長者はハリウッドを殺す　全二冊
広瀬　隆／広河隆一　悲劇が進む〈新版 四番目の恐怖〉
広河隆一　破断層
広田靚子　香りの花束　ハーブと暮らし
藤沢周平　雪明かり
藤沢周平　闇の歯車
藤沢周平　春秋の檻　獄医立花登手控え①

藤沢周平　風雪の檻　獄医立花登手控え②
藤沢周平　愛憎の檻　獄医立花登手控え③
藤沢周平　人間の檻　獄医立花登手控え④
藤沢周平　決闘の辻〈藤沢版新剣客伝〉
藤沢周平　市塵　全二冊
藤村正太　孤独なアスファルト
藤本義一　お嬢さん、上手な恋をしませんか
藤本義一　好きになったら読む本
古川　薫　高杉晋作奔る
古川　薫　失楽園の武者〈小説・大内義隆〉
藤本　泉　時をきざむ潮
深田祐介　さらりーまん発奮学
深田祐介　新日本人事情
古谷三敏　男のウンチク学
船戸与一　山猫の夏　全二冊
船戸与一　神話の果て　全二冊
船戸与一　伝説なき地　全二冊
船戸与一　カルナヴァル戦記
深谷忠記　一万分の一ミリの殺人

講談社文庫　目録

深谷忠記　アリバイ特急＋−の交叉
深谷忠記　津軽海峡＋−の交叉
深谷忠記　寝台特急「出雲」＋−の交叉
深谷忠記　信州・奥多摩殺人ライン
藤原新也　幻世
藤原作弥　死を看取るこころ
古屋和雄　「愛されたい」症候群
星新一　エヌ氏の遊園地
星新一　ノックの音が
星新一　盗賊会社
星新一　声の網
星新一　おみそれ社会
星新一　なりそこない王子
星新一　おかしな先祖
星新一　ごたごた気流
星新一編　ショートショートの広場①〜④
本多勝一　ニューギニア高地人
本多勝一　カナダ・エスキモー
本多勝一　アラビア遊牧民

本多勝一　日本人は美しいか
本田靖春　ニューヨークの日本人
本田靖春　新・ニューヨークの日本人
本田靖春　不当逮捕
本田靖春　「戦後」美空ひばりとその時代
本田宗一郎　私の手が語る
保阪正康　大学医学部
保阪正康　新・大学医学部
保阪正康　追いつめられた信徒〈死なう団事件始末記〉
堀和久　大久保長安 全二冊
松本清張　草の陰刻
松本清張　黄色い風土
松本清張　黒い樹海
松本清張　連環
松本清張　花氷
松本清張　火の縄
松本清張　遠くからの声
松本清張　ガラスの城
松本清張　大奥婦女記

松本清張　風紋
松本清張　写楽の謎の「一解決」
松本清張　殺人行おくのほそ道 全二冊
松本清張　湖底の光芒
松本清張　奥羽の二人
松本清張　増上寺刃傷
松本清張　塗られた本
松本清張　熱い絹 全二冊
松本清張　異変街道 全二冊
松本清張　邪馬台国 清張通史①
松本清張　空白の世紀 清張通史②
松本清張　カミと青銅の迷路 清張通史③
松本清張　天皇と豪族 清張通史④
松本清張　壬申の乱 清張通史⑤
松本清張　古代の終焉 清張通史⑥
松谷みよ子　ちいさいモモちゃん
松谷みよ子　モモちゃんとプー
松谷みよ子　モモちゃんとアカネちゃん
松谷みよ子　ちいさいアカネちゃん

講談社文庫　目録

松谷みよ子　アカネちゃんとお客さんのパパ
松谷みよ子　黒い蝶・花びら
松谷みよ子　おおかみの眉毛
松谷みよ子　ジャムねこさん
松谷みよ子　オバケちゃん
松谷みよ子　ちびっこ太郎
松谷みよ子　龍の子太郎・ふたりのイーダ
松谷みよ子編著　日本の伝説 全二冊
松谷みよ子　日本の昔ばなし 全三冊
丸谷才一　たった一人の反乱 全二冊
丸谷才一　犬だって散歩する
松下竜一　豆腐屋の四季
松下竜一　潮風の町
前川恵司　韓国・朝鮮人〈「在日」の生活の中で〉
真鍋繁樹　堤義明の経営魂
松本　順　松下幸之助の人の育て方
前間孝則　ジェットエンジンに取り憑かれた男
三好　徹　孤雲去りて 全二冊
三好　徹　ビッグ・マネー
三浦哲郎　はまなす物語
宮城まり子編　としみつ
三浦綾子　ひつじが丘
三浦綾子　自我の構図
三浦綾子　死の彼方までも
三浦綾子　毒麦の季(とき)
三浦綾子　岩に立つ
三浦綾子　青い棘(とげ)
三浦綾子　イエス・キリストの生涯
三浦綾子　白き冬日
三浦光世・三浦綾子　愛に遠くあれど
三浦光世・三浦綾子　太陽はいつも雲の上に
宮尾登美子　一絃の琴
宮尾登美子　女のあしおと
宮尾登美子　花のきもの
宮尾登美子　天璋院篤姫 全二冊
皆川博子　光源氏殺人事件
見延典子　もう頬(は)づえはつかない
宮本　輝　二十歳(はたち)の火影(ほかげ)
宮本　輝　命の器
宮本　輝　避暑地の猫
宮地佐一郎　坂本龍馬
三上太郎　株式上場
南　伸坊　シンボーの人間模様
峰　隆一郎　殺人特急(ブルートレイン)逆転の15分
水野泰治　歌麿殺人事件
村上元三　水戸黄門 全八冊
村上元三　田沼意次 全三冊
村上　龍　限りなく透明に近いブルー
村上　龍　海の向こうで戦争が始まる
村上　龍　コインロッカー・ベイビーズ 全二冊
村上　龍　アメリカン★ドリーム
村上　龍　ポップアートのある部屋
村上　龍　走れ！タカハシ
村上　龍　愛と幻想のファシズム 全二冊
村上　龍　村上龍全エッセイ〈1976～1981〉
村上　龍　村上龍全エッセイ〈1982～1986〉
村上　龍　村上龍全エッセイ〈1987～1991〉

講談社文庫　目録

1992年9月15日現在